「わかってくれない」
「満たされない」
がなくなる

上手に「自分の気持ち」を出す方法

公認心理師
竹内成彦

大和出版

自分の本音、誰かに打ち明けてみませんか？

はじめに

「気がつくと、いつもひとりぼっちで、孤独感を覚える」

「友達と一緒にいても、ちゃんと自分のことを話せず、なんとなく満たされない」

「思っていることがあってもうまく打ち明けられなくて、いつもモヤモヤしている」

あなたは、こんなふうに、どこか物足りない気持ちを抱えていませんか？

それはきっと、「自分の気持ち」を素直に出していないから、ではありませんか？


はじめまして。公認心理師の竹内成彦と申します。

私は、「カウンセリングルーム『心の相談室ｗｉｔｎ』名古屋」の室長として、毎日悩みを抱えるクライアントの方と接しています。

公認心理師としてカウンセリングをおこなうと同時に、私は、人が生まれ持っている性格である「生まれつき性格」についての研究をしております。

「自分の気持ちを出せない」「自分の本音が話せない」という人は、生まれつき怖がりで、人の影に隠れたがり屋であると考えられます。

そのために、おそらく、自分に自信がなく、自分の気持ちに気づいていない。

そして、勇気を出して誰かに自分の気持ちを打ち明けて傷つくことも怖い、という状態なのだと思います。

あなたも、もしかしたら当てはまるでしょうか？

この性質は、残念ながら、急に変えられるものではありません。

だからといって、がっかりしないでください。

この本では、どうやって自分の気持ちに気づくのか、どうやってラクに自分の気持ちを出していったらいいのかを、たくさんのワークと共に解説していきます。

例えば、「ネガティブ日記」を書くというワーク。

不平不満、愚痴、文句、泣き言など、とても人には言えないことでもいいので、日記に書き出してみるのです。

はじめは、抵抗があるかもしれません。

しかし、書き終える頃には、カタルシス（浄化・解放）効果といって、とても清々しく、爽やかな気持ちになります。

そうしてネガティブなことを書いたあとに、「感謝できること」「よかったこと」「嬉しかったこと」「安堵感を覚えたこと」などを綴ってみる。

すると、「悪いことばかりじゃないな。明日も頑張ろう」と思えてくるのです。

こんなふうに感情を吐き出していくことで、「私は自由に話していい」「私は本音を出してもいい」「私の話は人から受け入れてもらえる」という実感を得ることができ、次第に誰かに自分の気持ちを出せるようになっていきます。

この本では、そのほかにも、

- 「数《す》息《そく》観《かん》瞑想」をする（自分の気持ちを満たす）
- 欠点を書き出してみる（心の奥底にある本音を探っていく）
- 歴史小説を読む（いろいろな人生観に触れて、人と接する怖さを解消していく）
- 目を見て話そうとしない（相手に伝えるときの緊張感を払拭する）
- 「聞き普通」になる（いきなり「聴き上手」になろうとしない）

・話すときは「4対6」を意識する（聞き役から抜け出す）

などなど、たくさんのワークをご紹介いたします。

これまで、本当に多くのクライアントが、このようなワークを通して、自分の気持ちを出し、誰かとつながる喜びを知るようになりました。

「これまで、友達といても家族といても、自分の本音を打ち明けられませんでしたが、ワークを実践していくことで、自然に肩の力が抜けていき、素直に話せるようになりました」

「今までずっと、緊張しながら生きてきたような気がします。でも今は、自然体で人と接し、ラクに自己開示することで、緊張感がほぐれて、ずっと生きやすくなりました」

「どこにいても『私は、ここにいてもいいんだ』と安心できるようになりました。自分の話を聴いてもらうことが、こんなに心地いいことだなんて、今まで知りませんでした！」

こんなふうにたくさんの「喜びの声」もいただいています。

あなたも今日から、ひとつずつでも実践してみてください。

読み終える頃には、自分に自信が持て、自己肯定感が上がり、自然に自分の気持ちを出していけることでしょう。

そうして人間関係が楽しく充実したものになると、私は信じています。

公認心理師　竹内成彦

「わかってくれない」「満たされない」がなくなる　上手に「自分の気持ち」を出す方法　目次

第1章

「自分の気持ち」で誰かとつながるって、どういうこと？

～「ほっとする感覚」を得るために知っておきたいこと～

第2章

「自分の気持ち」をあたためる

～「不安な毎日」が変わるちょっとしたコツ～

第3章

「自分の気持ち」を深く知る

～「私らしさ」を掘り下げていくレッスン～

第4章

「自分の気持ち」と「誰かの気持ち」に向き合う

～無理せず、「相手のこと」も受け入れる～

第5章

「自分の気持ち」を小出しにしていく
〜「本音」を伝える、ちょっとしたきっかけ〜

第6章

「自分の気持ち」で和やかな関係を作る

～こうして、「かけがえのない関係」を築いていく～

本文レイアウト／山田知子+chichols　本文イラスト／東口和貴子
本文DTP／白石知美・安田浩也（システムタンク）

第1章

「自分の気持ち」で誰かとつながるって、どういうこと？

～「ほっとする感覚」を得るために知っておきたいこと～

01

「つながり感」、持っていますか？

孤独と孤独感は違うものです。

孤独は友にしていいものですが、孤独感は抱えてはいけません。


今も昔も、パートナーや家族や友人といても、「この寂しさは、誰にもわかってもらえない」と孤独感を抱える人がいます。

その一方で、無人島にいて、１人で幸せに暮らしている人もいます。

彼らは一日中、誰とも口を利きません。

でも彼らは、孤独感など抱えていません。

なぜなら、彼らは、「空や海、花や樹木などの大自然とつながっている」と思っているからです。

この「つながり感」が大切です。

無人島で暮らす彼らは、客観的には孤独ですが、主観的には孤独ではありません。

私は、趣味で月に1回くらいの頻度で山に登ります。

山といっても、1千メートル級の、日帰りできる程度の低い山です。

私は、ほとんどの場合、1人で山に登ります。

「仲間と一緒に登っても楽しいだろう」と思うのですが、自分のペースで登りたいし、何より私にとって、山は歩く瞑想そのものだからです。

登山口に到着すると、いつも山から「お帰り」と言われたような気持ちになり、私は、心の中で「ただいま、帰ってきたよ」とつぶやきます。

山にいるときは、1人きりのことが多いのですが、登っている最中も下っている最中も、山の懐に抱かれている気持ちになっていて、私は少しも孤独感を覚えません。

山や自然と、つながっている感覚を覚えるからです。

山に登っているときの私は、客観的には孤独ではありますが、主観的には少しも孤独でありません。

私は男性ですが、男性が好きだと思われているような、車や野球に興味がないので、男同士で集まって車や野球の話になると、まったくついていけません。

そんなとき、私は、客観的には1人でありませんが、主観的には1人ぼっちです。同じように、世の中には、パートナーや家族、友人がいても、孤独感を抱えている人もいれば、ずっと1人でいても、少しも孤独感を覚えない人がいます。

したがって、孤独かどうかは、他人が決めることではありません。自分が孤独だと思えば孤独だし、自分が孤独ではないと思えば孤独ではないのです。

あなたはいかがですか？

孤独感を抱えてはいませんか？

あなたが孤独感を抱えているのであれば、その気持ちと、一度向き合ってみましょう。

そして、孤独感を解消し、「つながり感」を得る方法を探ってみましょう。

大丈夫。

難しいことなんてありません。

この本を読み終える頃には、あなたもきっと、孤独感から抜け出せるようになっていると確信しております。

02

なぜ、人とつながると幸せな気持ちになるんだろう？

アメリカの精神科医であるウイリアム・グラッサー博士によると、人間には、次のような5つの欲求があるそうです。

1 愛と所属の欲求――誰かと一緒にいたい、誰かとつながりたいという欲求
2 力の欲求――認められたい、勝負に勝ちたいという欲求
3 自由の欲求――やりたいようにやりたいという欲求
4 楽しみの欲求――新たな知識を得たいという欲求
5 生存の欲求――生きていきたいという欲求

このうち、「愛と所属の欲求」が満たされると、「食欲」「睡眠欲」「性欲」の三大欲求が満たされるのと同じように、満足感を覚え、幸せを感じることができます。

「愛と所属の欲求」を満たすということは、誰かとつながる、つまりお互いに心を開き、お互いに心を通い合わせるということになります。

では、心を開くにはどうしたらいいのでしょうか。

それには4つのコツがあります。

次に簡単にご紹介しますね。

1　リラックスする

誰かと話しているとき、自分自身が緊張しているようでは、うまく心を開けません。

ですから、「嫌われてもいい」くらいの気持ちでリラックスして相手と向き合いましょう。

会話の途中で沈黙が生じても、焦らないようにしてください。

あとにもお話ししますが、沈黙は1人でできるものではありません。

相手も黙っていて沈黙が生じているわけですから、自分1人で責任を感じる必要はないのです。

2　自己肯定感を上げる

「相手に心を開いて、自分の気持ちを話して、かえって嫌われたらどうしよう」と不安になっていたら、相手に心を開くことは難しいものです。

ですから、まずは不安をなくして、自分を好きになる、つまり自己肯定感を上げましょう。

そうすれば、心を開きやすくなります。

3　心を開く相手を選ぶ

自分の気持ちを打ち明ける相手は、誰でもいいというわけではありません。

話しかけやすい人、「この人と親しくなりたいなあ」と思う人に、心を開いていきましょう。

4　少しずつ自分の情報をオープンにしていく

「どんなところに住んでいて、どんな場所が好きなのか」

「どんな仕事をしていて、どんなことに充実感があるのか」

「どんなことが好きで、どんなことが嫌いなのか」

このようなことを少しずつ話していきましょう。

相手が何も語ってないのに、自分だけオープンにするのはバランスがよくありません。

また、自分ばかりが一方的に話しても、いい会話は生まれません。

自分が少し心を開いて、相手も少し心を開いて、そうして、自分ももう少し心を開くようにする……、その繰り返しが大切です。

どうぞ、あなたも心を開いて、自分の「愛と所属の欲求」を満たしてください。

この本では、それぞれについて、詳しくお伝えしていきます。

03

心を通い合わせる前に、まず自分の心を満たす

誰かとつながるために必要なことは、次の2点です。

1 自分を信頼・信用し、相手を信頼・信用すること
2 自分を尊敬・尊重し、相手を尊敬・尊重すること。

他者とつながり、心を通い合わせた感覚を、アドラー心理学のアルフレッド・アドラーは、「共同体感覚」と呼んでいます。

この「共同体感覚」とは、「私とあなたは共にいる」「私とあなたは仲間だ」、つまり「私とあなたは共同体だ」という感覚です。

アドラー心理学について書かれた『嫌われる勇気』（岸見一郎・古賀史健著／ダイヤモンド社）には、共同体感覚を身につけるためにできることとして、3つの条件が書か

れています。

それは、「自己を受容すること」「他者を信頼すること」「他者に貢献すること」です。

私が思うに、このうち、一番簡単で手っ取り早くできることは、「他者に貢献すること」です。

これは、自己を受容することや他者を信頼することよりも簡単です。

したがって、まずは、誰かに対して貢献することから始めていきましょう。

難しく考える必要はありません。

1日にひとつでも、人に親切にすればいいのです。

お年寄りや身体の不自由な方に席を譲る、エレベーターを待っているときにあとから来た人に対して「何階ですか？」と声をかける、コンビニに行ったら「お願いします」と言って商品を出して「ありがとう」と言ってお金を支払う、などなど。

それをコツコツと続けていけば、自己を受容できるようになりますし、誰かから感謝され、誰かを信頼できるようにもなります。

01「つながり感」を味わう

もし、あなたが、「私のことを本当にわかってくれる人がいない」「休日にずっと1人で過ごしていて、気持ちが満たされない」という孤独な気持ちを抱えているなら、小説を読んでみるのはいかがでしょうか？

もしくは、お日さまの光を浴び、生命の源である太陽とつながるのはどうでしょうか？

そうすればきっと、「つながり感」を得ることができると思います。

私は毎日のようにパソコンに向かって日記を書いているのですが、私と私の書いた文章は、心の奥深くでつながっています（日記はカギがかかっているので、私以外の人が読むことはありません）。

また私は、月に2回くらいサウナに行く習慣がありますが、サウナに入り、水風呂に浸かり、椅子に座って休憩しているときは、太陽や月、星や宇宙とつながっている

感じがします。

さらに月に1回ほど山に登っているのですが、山に登っているとき、私は空や大地や自然とつながっている感覚を覚えます。

ペットをかわいがっているとき、あなたはペットとつながっています。

赤ちゃんを抱っこしているとき、あなたと赤ちゃんはつながっています。

観葉植物に水をあげているとき、あなたと観葉植物はつながっています。

私はこの文章を書いている今、まだ見ぬあなたと「つながっている感覚」を覚えています。

02 観葉植物に水をあげる

私のカウンセリングルームには、いつも観葉植物が置かれています。

正直、私としては、「観葉植物が置かれています」というよりは、「観葉植物がいます」「観葉植物と共にいます」と言ったほうがしっくりきます。

私のクライアントにも、同じように観葉植物を育てていらっしゃる方は、少なくありません。

みなさん、カウンセリングルームに通ううちに、心に余裕ができたことがきっかけで、観葉植物を買い、育てているようです。

観葉植物を元気よく育てるためには、日光と室温はもちろん、水やりのタイミングが重要です。

水をあげすぎると根腐れを起こし、枯らしてしまいますし、水をあげなさすぎても、やっぱり枯らしてしまいます。

観葉植物を上手に育てているクライアントは、みなさん次のようなことを言います。

「毎日、観葉植物を愛でるように観察していると、観葉植物が私に語りかけてくるような感覚を覚えるんです。『そろそろ水をちょうだい。このままじゃ、葉っぱがシワシワになって枯れてしまう』と。そうして私が、『大きくなあれ』『元気になあれ』と心を込めて水をあげると、今度は、『ありがとう』と感謝され、またいきいきと、緑の色を濃くしてくれます。観葉植物と私は、深い部分で気持ちがつながっている感じがします」と。

観葉植物をお世話することは、自分の心を満たし、自分をお世話することにほかならないものです。

もしもあなたが、人とコミュニケーションを取るのが苦手ならば、観葉植物と一緒に暮らしてみてはいかがでしょうか？

ちなみに、私のカウンセリングルームにいる観葉植物は、空気中に酸素を放出させてくれ、空気清浄効果もあるサンセベリアです。

サンセベリアのおかげで、カウンセリングルーム内は、いつも空気がおいしいです。

03 マッサージやエステを受ける

私のカウンセリングルームにいらっしゃるクライアントは、男性と女性の比率が4対6から3対7ほどで、女性のほうが多いのですが、クライアントの中には、マッサージやエステに通われている方が少なくありません。

カウンセリングルームに通ううちに、自分のことを大切に扱うようになり、心と身体を癒しに、マッサージやエステに通うようになるようです。

マッサージやエステは、「頑張っている自分へのごほうび」とおっしゃいます。

マッサージ師やエステティシャンの施術は、心がこもっていて、自分と施術者が深い部分でひとつになっている感じになり、至上の幸福感を覚えるのだそうです。

私の家にはマッサージチェアがあるのですが、やっぱり人の手のぬくもりにはかないませんね。

04 瞑想をする

瞑想とは、「心を静めて無心になること」「何も考えずリラックスすること」「人智を超えた何かに祈り、心を集中させること」を言います。

ちなみに最近は、瞑想のことを「マインドフルネス」と称することが増えました。

マインドフルネスとは、「今、ここ」に意識を置くことを言います。

私たちの頭の中は、いつも自分で勝手におしゃべりしていて、散らかっている状態になっています。

そこで、瞑想をすることで、その脳内おしゃべりをやめ、「今、ここ」に集中し、頭の中を空白にするのです。

「瞑想する＝マインドフルネス状態」になると、次のような効果があらわれると言われています。

・免疫力が改善され、血圧が低下する。さらに自律神経が整い、よく眠れるようになる。

・緊張やうつ状態が緩和され、不安が減少される。ストレスへの耐性が向上される。

・集中力や記憶力が増す。複数の仕事を同時に進めていたとしても、1つひとつのタスクに集中することができ、仕事や勉強で高いパフォーマンスを発揮できる。

このように、瞑想すると、「今までいかに余分なことを考えていたか」「今までいかに無駄なことに時間や労力を割いていたか」がわかるようになります。

ここで、瞑想のやり方を簡単にご紹介します。

難しく考えず、トライしてみてくださいね。

1 腰が沈まない硬さの椅子に腰かけ、背筋を軽く伸ばす。両手は、膝か太ももの上に置き、目は軽く閉じる。

2 自然に呼吸する。「吐いて吸って」を繰り返しながら、喉を通る空気の感触、胸の動きなど、身体全体の動きに、ただただ意識を集中させる。

3 5分ほど、その状態を味わったら、身体を揺すって、両手を開いたり閉じたりして、ゆっくり目を開ける。

きっと5分前とは変わって、ゆったりした気持ちになっていることでしょう。

瞑想をする習慣を身につけると、人に会ったときの恐れがなくなり、自然とフレンドリーに振る舞えるようになります。

また、人の話がしっかり耳に入ってくるようになって、他人からどう思われるかを必要以上に気にすることもなく、自分の言いたいことが言えるようになります。

私は瞑想すると、人智を超えた神や仏、宇宙とつながった感覚を覚えます。

そうして孤独感が癒され、脳の中から、幸せを実感するホルモンであるオキシトシンが放出されていき、幸せな気持ちになるのです。

05 数息観瞑想をする

先ほど瞑想についてご紹介しましたが、実際にやってみて、難しいと感じる方もいるかもしれません。

そこで、トライしやすい瞑想として、「数息観瞑想」（呼吸に集中しながら数を数え、リラックスする瞑想法）をおすすめしたいと思います。

1 口から細く長く、ゆっくり息を吐きながら、心の中で「ひとーつ」と唱える。このとき、おなかを凹ませる。

2 息を吐ききったら、今度は鼻から息を吸いながら、心の中で「ふたーつ」と唱える。このとき、おなかを膨らませる。

3 息を吸いきったら、少し止め、また口から細く長く息を吐きながら、心の中で「みぃーつ」と唱える。

4 息を吐ききったら、鼻から息を吸いながら、心の中で「よーつ」と唱える。

5　1〜4を、呼吸に意識を向けて、腹式呼吸をしながら繰り返す。10まで数えることができたら成功。

比較的簡単にできると言われている数息観瞑想ですが、気になることを抱えていると、うまくできません。私は、最初の頃は雑念に邪魔され、途中で何回目なのか失念して、また1から数え直していました。

上手に瞑想できると、人智を超えた存在とつながった感覚を覚えます。

この感覚こそ、自分の気持ちを出して誰かとつながったときに抱く感覚なのです。

06 カウンセラーに話を聴いてもらう

カウンセリングに行ってカウンセラーと話せば、あなたは、きっと自分を大切に扱ってもらう体験をするはずです。

しっかりと訓練されたカウンセラーなら、説教をされることも、途中で話を遮られることも、一方的に話題を変えられることもないでしょう。

カウンセリングで、ありのままの自分を受け止めてもらったという体験が、あなたの心を満たすきっかけになるはずです。

私のカウンセリングルームには、

「自分のことが好きではないし、自分のことをどう話したらいいのかわからない」

「誰にも心を開けなくて孤独を感じる」

と訪れる人があとを絶ちません。

でも、みなさん、カウンセリングに通われていくうちに、だんだん自分のことが好

きになって、自分のことを話せるようになっていきます。

私がクライアントに対し、一方的に有益なアドバイスをしたからではありません。

クライアントが、「カウンセラーに大切に扱ってもらった」という体験を重ねたことにより、無理なく、自然に自分のことを好きになっていったのです。

臆せず、カウンセリングを受けてみてください。

カウンセリングを受けることによって、自己肯定感を高め、上手に自己開示できるようになります。

07 自分を大切にしてくれる人を見つける

人とつながることは大切ですが、相手は誰でもいいというわけではありません。

できる限り、自分を大切にしてくれる人と付き合うことも大事です。

あなたのことを大切にしてくれる人と付き合うと、あなたもだんだん自分のことが大切に思え、自己肯定感が上がっていくでしょう。

そうすることで、「本当の気持ち」を出せるようになります。

反対に、あなたのことを粗末にする人と付き合うと、あなたも自分自身のことが取るに足らない存在に思え、だんだん自分のことが嫌いになってしまいます。

あなたは、あなたのことを大切にする人と付き合っていますか？


まず、付き合ってはいけない人とは、次のような人です。

1 テイカー（ギブ＆テイクのテイカー。お金・時間・情報を奪う人）

2 イライラしたり、すぐにキレる人

3 嘘をつく人

4 不平や不満、人の悪口ばかりを言っている人

もし、身近にこのような人がいる場合は、距離を置くようにしてください。

こちらから連絡をしない、相手から連絡があっても返さない、もしくはゆっくり時間を置いてから返す、物をあげない、時間を割かないといった方法があると思います。

「会おう」などと誘われても、「忙しい」「用事がある」などと言って、できるだけ会わないようにしてください。

反対に、付き合ったほうがいい人、あなたを大事にしてくれる可能性が高い人とは、次のような人です。

1 ギバー（ギブ＆テイクのギバー。お金・時間・情報を提供してくれる人）

2 イライラしたりキレたりしない、温厚な人

3 正直な人

4 不平や不満が少ない人。人の悪口を言わない人

ぜひ、参考にしてください。

COLUMN

寂しさを満たすということは、生きるということ
〜脳内物質を満たす〜

幸せを実感すると、脳内から幸せホルモンが放出されますが、この脳内ホルモンには、大きくわけて、ドーパミン・セロトニン・オキシトシンの3つがあります。

このうちのドーパミンは、「ゲームをする」「勝負に勝つ」「目標を達成する」「人から褒められる」「脚光や賞賛を浴びる」「大金を手にする」「買い物をする」「おいしそうなスイーツを目の前にする」「おいしいお酒を飲む」など、刺激的なことで脳内から放出されます。

実際にドーパミンが放出されると、次のような現象が起こります。

・やる気が出る
・意欲が湧く

・気分が爽快になる
・ハラハラ、ワクワク、ドキドキとした快感を覚える

お金や成功を手にすると幸せを感じることができますが、お金や成功を手にした途端に、「もっとたくさんほしい」と求めてしまうように、ドーパミンには、依存性や中毒性があります。

したがって、必要以上に刺激を追い求めてはいけません。

一方、ほどほどのところで満足感を覚えることができるのが、セロトニンとオキシトシンです。

そのうち、セロトニンは、「必須アミノ酸の一種であるトリプトファンを含む食品（チーズやヨーグルトといった乳製品、レバー、大豆製品、ナッツ類）を摂る」「朝日を浴びる」「リズムのある運動をする」といったことで放出され、その結果、

・リラックスする
・安心感が増す
・幸福感や愛情を感じる

・ストレスが吹き飛ぶ
・快眠が得られる

このような作用が起こります。

続いて、オキシトシンについてです。

オキシトシンは、「スキンシップをとる」「心を通わせる」「マッサージやエステを受ける」「やわらかいものに触れる」「かわいい動物を眺める」「観葉植物に水をあげる」「人に優しくする」「瞑想をする」「心が和むようなことをする」といったことで脳内から放出され、その結果、

・幸福感や愛情を感じる
・不安やストレスが緩和される
・食欲や代謝がコントロールできる

このような作用が起こります。

つまり、私たちは、自分の心を開き、「わかりあえた」「理解してもらった」「つながった」「私たちは仲間だ」「私は1人じゃない」と思うと、脳内から幸せホルモン

であるオキシトシンが放出されるようにできているのです。

オキシトシンもセロトニンも幸福感に影響する脳内ホルモンです。

この2つは密接に関係しており、オキシトシンにはセロトニンを増やす役割があります。

したがって、少しずつ自分の心を開けば、オキシトシンが放出され、同時にセロトニンも増えていくというわけです。

心を開くコツは、

・「嬉しい」「楽しい」などの自分の感情を伝える
・「こう思っている」「こんなことに疑問に思っている」などの自分の考えを伝える
・「こうしてくれたらいいな」「こんなふうになりたい」などの自分の要望を伝える

といったことがカギになります。

難しいと思われますか？

この本で詳しく解説していきますので、できるところからひとつずつでもトライしていってください。

大事なのは、自分について話すこと、相手の話を聴くこと。

そして、お互いに理解し合い、人とつながっていくことです。

心を開き、他人とつながれば、あなたの脳内には、幸せホルモンであるオキシトシンが放出されます。

あなたの脳がオキシトシンで満たされれば、あなたはきっとほのぼのとした幸せを感じることでしょう。

あなたが幸せになっても誰も困りません。

遠慮せず、どんどん幸せを求めていきましょう。

第2章

「自分の気持ち」をあたためる

～「不安な毎日」が変わるちょっとしたコツ～

01 自己肯定感が低い2つの理由

自分の気持ちを素直に伝えようとする前に、まずは、自分を好きになって自分自身を認める、つまり自己肯定感を上げることが重要です。

なぜなら、自己肯定感が低いままだと、心を開こうとしても、

「私はこんなことを考えていて、こんなことを感じています」

「私はこういう人間です」

と伝えることに強い抵抗が生じ、相手から拒絶される恐怖がはたらいてしまうからです。

ここで、自己肯定感を上げる方法をお話しする前に、２つの「あなたの自己肯定感が低い理由」をお伝えしたいと思います。

理由1　生まれつき自己肯定感が低い

私は生まれ持った性格について研究しているのですが、生まれつき自己肯定感が低い赤ちゃんと、生まれつき自己肯定感が高い赤ちゃんがいます。

「赤ちゃんは、誰でもみんな自己肯定感が高いんじゃないの？」

と思われる方もいるでしょう。

確かに、その通りです。

でも、「自己肯定感が非常に高い赤ちゃんと、自己肯定感がそこまで高くない赤ちゃんがいる」というのは紛れもない事実です。

これは、生まれつき、怖がりでよく泣く赤ちゃんがいれば、怖がりではなくあまり泣かない赤ちゃんがいるのと同じです。

理由2　養育者（親である場合が多い）の育て方が不適切で自己肯定感が低い

2つ目は、後天的な理由です。

養育者から、適切かつたくさんの愛情を注がれて育った子どもは、大人になっても自己肯定感が高いことが少なくありません。

反対に、養育者から、不適切かつあまり愛情を注がれなかった子どもは、大人になっても自己肯定感が低いことが多いです。

言われてみれば当たり前のことで、「あなたはすごい。あなたはできる子よ」と言われ続けて育った子どもと、「お前はダメだ。お前はできない」と言われ続けて育った子どもが、同じだけの自己肯定感を持っているはずがありません。

このように理由が明確になると、「私のせいではないんだ」ということがわかり、いたずらに自分を責めることがなくなると思います。

つまり、自己肯定感が高いか低いかの理由は生まれもってのもの、あるいは親の育てられ方によるものだと考えれば、自己肯定感が低くても、そのほとんどはあなたのせいではないということです。

したがって、これから少しずつ、自己肯定感を高めていきましょう。

そうすれば、あなたは間違いなく、今よりも心が満たされていくはずです。

養育者の
育て方
生まれつき

02 「自己肯定感を上げる」と心に決める

ここでぜひ、「自己肯定感を上げる！」と決心してください。

この決心が何よりも重要です。

というのも、決心がないまま自己肯定感を上げる方法だけ身につけても、自分を好きになることも、自分自身を認めることもできず、なかなか自己開示できないからです。

実は、これが一番難しく、逆に言えば、決心さえすれば、半分以上は自己肯定感を上げることができたも同然です。

そもそも、人は、変化を嫌う生き物です。

たとえ、表面的には「変わりたい」と思っていても、ホメオスタシス（外的・内的環境の絶えざる変化の中に置かれながらも、生体が形態的・生理的状態を一定に保とうとする性質）がはたらき、無意識下では「変わりたくない」と思っているものです。

つまり人は、たとえ今が不幸であったとしても、強い決意がなければ、今の慣れ親しんだ不幸な状態にとどまろうとしてしまう生き物なのです。

ですので、まずは、

「私はこれから、自己肯定感を上げる」

「私はこれから、私のことを好きになる」

「私はこれから、自己肯定感が上がるような人生を選択する」

と決心するようにしましょう。

01 「偽りの自分」を演じるのをやめる

あなたは、「本当の自分ではない誰か」を演じていませんか？

しっかり自分らしく生きていますか？

私のカウンセリングルームには、「自己肯定感が低い」という悩みを抱えているクライアントが多いのですが、彼らの中には、「いつも自分じゃない誰かを演じている感覚がある」とおっしゃる方がいます。

そして、その自分とは、「親や世間が期待する、聞き分けのあるいい子の自分であり、本当の自分ではない」とおっしゃいます。

よくよく聞くと、幼少の頃から、「お姉ちゃんなんだから」「女の子なんだから」などと一方的に役割を強いられ、我慢し続けながら、その役割を演じてきたようです。

そうして、自分が何者かわからなくなり、「本当は泣きたいのに笑っている」「本当は怒りたいのに笑っている」と「偽りの自分」を演じ続け、嬉しいのか悲しいのか腹

立たしいのかさえわからないまま大人になっているそうです。

もっと自分を大切にしましょう。

自分を大切にするということは、自分の感情を大切にするということです。

もちろん、感情のおもむくままに行動して、他人に迷惑をかけるのは許されることではありませんが、自分の感情を無視し、他人の期待にだけ沿って生きるのは褒められたことではありません。

もう「誰か」を演じるのはやめて、もっと自分に温かい目を注ぎ、自分らしく生きるようにしましょう。

02 「いい言葉」「美しい言葉」を使う

あなたはふだん、「いい言葉」「美しい言葉」を意識して使っていますか？

「いい言葉」「美しい言葉」とは、自分も相手も温かくさせる言葉です。

例えば、

「愛しています」

「嬉しい」

「楽しい」

「ありがとう」「ありがたい」

「幸せ」

「（他人の失敗や短所を）許します」

「ツイてる」

「なんとかなる」

このうち、私のおすすめは「ありがとう」という言葉です。

小さなことでも、とにかく感謝の気持ちを忘れないようにしましょう。

生かされていることに感謝、出会った人に感謝です。

「言霊《ことだま》」という言葉がありますが、「ありがたい」という言葉を使うと、まるで言葉に魂が宿っているかのように、自分の心が温かくなります。

そして、「ありがとう」という言葉を使うと、相手の心が温かくなります。

そんな温かな関係が、あなたの自己肯定感を上げてくれます。

03 他人と比べない

毎日、雨の日も風の日も会社に行くというのは、本当に大変なことです。

それを成し遂げている人は、十分に褒められて然るべきこと。

「今日も遅刻せずに会社に行くことができた。私ってすごい！」と自分を褒めるようにしてください。

「そんなの当たり前。みんな普通に会社に来ているし、誰も遅刻なんてしていない」などと他人と自分を比べないでください。

あなたは、遅刻せずに会社に来たのです。

それは、褒めるに値する立派な行為ではないでしょうか。

最初はわざとらしくても結構ですので、心の中で自分を褒めてください。

自分を褒める習慣が身につけば、自信になり、自分のことが好きになります。

人と比べないでね
自分を褒めて
うん

04 プチ達成感を味わう

あなたは、ここまで、活字を追ってこの本を読み進めてきました。

それだけでも、とても立派です。

「こんなこと誰にでもできる！」なんてことおっしゃらずに、どうぞ自分を褒めてください。

そうすれば、あなたの自己肯定感は上がります。

前にもお話ししましたが、私は月１程度で山に登っています。

登山は、とてもしんどいので、「山登りが好きか？」と訊かれると正直なところ微妙なのですが、汗を流しながら山に向き合っている自分のことは、間違いなく好きです。

頂上に着くと、眼下にきれいな景色を見下ろすことができて、大きな達成感を覚え、「よく頑張ったなあ」「大したもんだなあ」と思います。

私にとって山登りは、いい気分転換であり、運動不足の解消であり、歩く瞑想です。

そして山登りは、私にとって自己肯定感を上げる方法なのです。

本を読むことでも、約束の時間を守れたことでも、お気に入りの洋服を買えたことでも、何か小さなことでかまいません。

あなたも、達成感を覚え、自分を褒める習慣を身につけていってください。

05 ときめくものに囲まれて暮らす

経営コンサルタントとして有名な大前研一さんが、以前、このようなことを言っていました。

「人間が変わる方法は3つしかない。1番目は時間配分を変えること。2番目は住む場所を変えること。3番目は付き合う人を変えること。この3つの要素でしか、人間は変わらない」

面倒くさがりの私にとっては、「住む場所を変える＝引越し」は、とてもする気にはなれませんが、実際に引越しするとなると、非常にいいことが起こる予感がします。なぜなら、いらない物をどんどん捨てて身軽になれば、不要なものがなくなり、環境も自分も変えることができるからです。

あなたも、引越しまではできないとしても、せめて自分の部屋を片づけるようにしましょう。

いらない物は捨てて、すぐに使わない物は整理し、自分の周囲に、心がときめくものだけを配置するのです。

そうすれば、心が自然に高揚していき、気がつけば、自分のことが、以前よりも好きになっている、つまり自己肯定感が上がっているはずです。

ぜひ、隙間時間を利用して、整理整頓や断捨離をしてみてくださいね。

自己肯定感を上げるWORK

06 おいしい物を、ほどよく食べる

落ち込んでいるときでも、おいしい物を食べると元気になれるのは、脳から幸せホルモンのひとつであるドーパミンが放出されるからです。

ドーパミンは、先にお話ししたように、目標を達成したときや称賛を得たとき、感謝されたときなどに分泌される、生きる意欲を起こしてくれるホルモンです。

ですから、おいしい物を食べたときというのは、幸福感に浸ることができ、自己肯定感が上がるのです。

高級料理でなくてもかまいませんので、たまには、心からおいしいと感じる物を、感謝しながら、味わって食べましょう。

しかし、どんなにおいしい物でも、食べすぎに注意してください。

ドーパミンは依存性・中毒性がありますので、ほどほどの量にしてください。

食事は1日2回でも3回でもかまいませんので、腹八分目を意識しましょう。

急いで食べると、満腹感を覚える頃には、すでに食べすぎている状態になってしまうので、よく噛んで、ゆっくり食べるようにしてください。

よく噛んでゆっくり食べれば、食べすぎることもないし、胃腸に負担もかからないため、一石二鳥です。

「それでも食べてしまう」とおっしゃるあなたは、たぶん寂しいのだと思います。

孤独は、過食の大きな原因のひとつです。

この本をよく読んで、上手に自分の気持ちを出せるようになり、人とつながっている感覚を味わうことができれば、寂しさは消えるはずです。

そして、寂しさが消えれば、食べすぎからも、きっと解放されることでしょう。

心を作っているのは脳。

その脳は、身体の臓器の一部です。

そして、その脳という臓器は、日々私たちが食べる物から作られています。

脳が円滑にはたらくよう、毎日身体にいい物を食べ、身体によくない物を避けるようにすれば、自分の心も穏やかにはたらくようになります。

身体にいい食べ物は、基本的に粗食です。したがって、毎日の食卓には栄養価の高い自然食品を選び、保存料や着色料、添加物が入っている物は避けるように心掛けましょう。

おすすめは、魚や果物やナッツ類、オリーブオイル、豆腐や納豆などの大豆食品、酢の物です。

あなたが身体にいい物を食べ、身体に悪い物を避けるようになれば、あなたの身体と心はベストな状態になるでしょう。

一気に食べたり、スマホ片手に適当に食べるのではなく、料理を作ってくれた人に思いを馳せ、食材のおいしさをかみしめながら、ひとくちひとくち味わってみるのです。

「ストレスがたまっているからケーキを食べる」

「ごほうびにドーナツを食べる」

などと、多くの女性が甘い物がお好きなようですが、日常的に甘い物を摂取すると、ドーパミンが脳内から放出され続け、依存症になってしまいます。

すると、慢性的な軽い鬱になる傾向があります。

ちなみに私は、少食で粗食ですが、いつも腹六分目を心掛けて、感謝して味わっています。

おかげさまで、何を食べても大変においしく感じます。

あなたが、たくさん甘い物を食べなくても、少しの量と粗食で「おいしい」と感じられるようになったら、健康にもいいし、心も幸せですね。

07 良質な睡眠を取る

自己肯定感を上げるためには、まずは自分を大事に扱い、自分を機嫌よくさせなければなりません。

そのためには、規則正しい生活をして、良質で適切な睡眠時間を確保することが大切です。

一概には言えませんが、理想的な睡眠時間は6～7時間程度ではないでしょうか。

ぜひ次のことに気をつけて、睡眠時間を確保するようにしてください。

1 眠る前には、パソコンやスマホを観ることは避け、自分なりのリラックス法（ぬるめの入浴や軽い読書や音楽、ほどよい香り、ゆったりしたストレッチ）を試みる。

2 ある程度、眠くなってから布団に入る。

3 体内時計のリズムを整えるためにも、休日も含めて、なるべく毎日同じ時刻に寝て、同じ時刻に起きる。

4 寝るときは薄暗くし、朝起きたら眩しい程度の光を浴びる。

5 昼寝をする場合は、15時前の15～25分くらいが理想。15時以降の昼寝や30分以上の昼寝は、夜の睡眠の妨げになってしまうので控えること。

6 寝ても寝ても眠いということが続くようであれば、専門医に相談すること。

良質で適切な睡眠時間を確保できれば、あなたの身体と心は快適な状態になるでしょう。

08 軽い運動をする

あなたはふだん、運動していますか?

運動すれば、脳が活性化され、よく眠れるようになりますし、食事もおいしく感じられるようになると思います。

運動といっても、ちょっと汗ばむ程度、ちょっと息が切れる程度でかまいません。

毎日が無理なら週に3~4回、15~20分散歩するくらいでもいいのです。

私のクライアントに、朝15分ほど散歩するだけで、軽い鬱が治ったという方がいます。

「散歩する気にもなれない」「外へ出たくもない」「身体を動かすのが億劫」という人でも、運動すると「やっぱり運動してよかった」という気持ちになるでしょう。

不思議と運動には、問答無用で、私たちの心を作っている脳をいい状態にさせてくれる力があるのでしょうね。

暖かな日に、太陽の光を浴びて運動すると、理由もなく、自分に自信がついてきます。

なんとなく落ち込んでいて自信を失いかけているようなときも、まずはぜひ身体を動かすようにしてみてください。

ついつい運動不足になりがちだからこそ、努めて意識するようにしていきましょう。

適度な運動習慣を持つことができれば、あなたの身体と心は快適な状態になり、円滑なコミュニケーションが取れるようになります。

09 自分を親友のように扱う

「自分を大切に扱ってください」とは、私がカウンセリングルームにご来室されたクライアントに、よくお伝えするアドバイスです。

クライアントは、カウンセラーの私に訊きます。

「自分を大切に扱うって、具体的にどうすればいいんですか？」

私は答えます。

「自分自身を、自分の親友のように扱うということですよ」

ちょっと考えてみてほしいのですが、例えば遠くから、大切な友人が、久しぶりに訪ねてきたとき、その友人にカップラーメンを食べさせるでしょうか？

その友人に、雨の中を走らせたりするでしょうか？

きっとしないはずです。

あなたは大切な友人に、おいしい物を食べさせてあげるでしょうし、傘を持たせるか、

タクシーで送ってあげると思います。

あなたは、親友に決してしないことを自分にしていませんか？

カップラーメンばかり食べさせたり、傘を買うのがもったいない、タクシー代がもったいないという理由で雨の中を走らせる、なんてことをしていないでしょうか。

どうぞ、自分のことを親友のように大切に扱って、自分に対し、お金と労力、時間をかけてあげてください。

そうすれば、あなたは、自分のことが大切に思え、自分のことが好きになるはずです。

10 相手を否定しない

自己肯定感を上げるうえで、「これだけは、やってはいけない」ということがあります。

それは、人を否定したり非難することです。

人は、誰かを否定したり非難したりすると、一瞬、自分が偉くなったような錯覚に陥る生き物です。

例えば、ある作家さんが書いた小説を読んだとして、その本があなたにとって面白くなかったとします。

そして「この小説は、内容が薄い。買うだけお金も時間も無駄です」などと、レビューサイトに酷評を書きます。

すると、自分が作家より賢くなったような感覚になり、「人が無駄なお金を使うのを防ぐことができた」「人が無駄な時間を過ごすのを防ぐことができた」とばかりに、いい人になった気分になります。

そうやって人は、相対的に人と自分を比べて自己肯定感を上げる生き物なのです。

だから多くの人が、他人を悪く言って他人を押し下げ、自分を高い位置に置き、ほくそ笑んでいます。

しかし、スイスの精神科医・心理学者であるカール・ユングが、「他人と自分は、集合的無意識でつながっている」と言っているように、このようなことを続けると、心の奥深くで自分を傷つけ、自分のことが嫌いになってしまいます。

あなただって、人を否定したり非難したりする人が嫌いなように、他人もまた同じこと。

だから、自分もそうしない。それが重要です。

人を否定したり非難したりすることで、安易に自己肯定感を上げることができますが、長い目で見ると、自分を惨めにさせ、結果、人から距離を置かれるのです。

くれぐれも注意していきましょう。

11 なりたい自分になる

ここまでできたあなたが、さらに自己肯定感を上げるための近道は、「なりたい自分になること」です。

もし、「やせてスリムになりたい」のなら、ダイエットしてスリムになりましょう。「楽器ができるようになりたい」のなら、楽器の練習をしましょう。

あなたが、努力して、なりたい自分になったわけですから、当然、自分のことが今までよりも好きになっているはずです。

ぜひ、なりたい自分になっていってください。

「なりたい自分がわからない」とおっしゃる方は、憧れている人、一緒にいてワクワクするような人を見つけて、その人の姿に近づけていけばいいでしょう。

私のカウンセリングルームでも、クライアントに、「なりたい自分」を思い描いていただいたことがあります。

ある女性は、「女優の黒木瞳さんのようになりたい」とおっしゃっていました。

彼女は黒木瞳さんを意識して、上品に立ち振る舞うようにし、笑顔を絶やさず、そして言うべきときに、はっきり自分の意見を言えるようになっていったのです。

その結果、彼女は、以前よりもずっと自分のことが好きになったとお話ししてくれました。

あなたも、ぜひ彼女のように、なりたい自分を目指してください。

COLUMN

愛を受け止められる人になろう
～6つの愛の表現方法～

あなたは、どんなときに、愛を感じますか？

次に、ベテラン結婚カウンセラーであるゲーリー・チャップマンの著書『愛を伝える5つの方法』（いのちのことば社）に書かれた内容に、私が「聴く」という行為を足した「6つの愛の表現方法」を紹介します。

1 話を聴いてもらったとき
2 優しい言葉をかけてもらったとき
3 同じ空間で共に過ごしたとき
4 心地いいスキンシップをしてもらったとき
5 自分のために動いてもらったとき

６　プレゼントをもらったとき

あなたは、この６つのうち、どれをしてもらったときに「愛されているなぁ」と感じますか？

私は、断然、１と２です。

「ほかにあるのかな？」と思うくらい、この２つは上位にあります。

この話を、あるカウンセリングの勉強会の場で提供したことがあります。

たくさんの仲間からいろんな意見や感想を聞くことができたのですが、５を選ぶ人が多いことに驚きました。

５を選ぶ人は言います。

「好きな人から、何かをしてもらったら嬉しい」「手の込んだ料理を作ってもらうと愛されているなあと思う」と。

そして、私にとっては意外だったのですが、６を選ぶ人もいました。

「私のことを思って、わざわざ時間を割いて、プレゼントを買ってくれるという行為が嬉しい」とその人は言うのです。

あなたは、何をされると愛情を感じますか？
そしてあなたは、愛する人に何をして差し上げる人ですか？

人は、愛する人に、つい自分にとって愛情だと感じる行為をしてしまうものです。
けれど、受け取る側が、それを愛だと感じるかどうかは、また別問題です。
したがって、愛を与えるのなら、相手が望むような愛情を与えましょう。

私は、自分が話をして、相手から話を聴いてもらうと愛情を感じますが、たとえ相手が、「話を聴く」という行為とは異なる行為をしたとしても、それをしっかり愛情だと受け止められるような人間でありたいと思います。

第3章

「自分の気持ち」を深く知る

～「私らしさ」を掘り下げていくレッスン～

01

「自分の気持ち」を出す前に知っておく5つのこと

「自分の気持ち」を素直に出す前に、次のことを意識して、まず自分自身のことを知るように心掛けてください。

1　自分がどんな人なのかを知る

心理テストや性格診断をやってみてもいいですし、親しい人に、

「私って、どんな人だと思う？　私のことを人に紹介するとき、どうやって紹介する？」

と尋ねてみるといいでしょう。

2　自分がどんな話がしたいのかを知る

あなたは、ふだん、どんな話をたくさんしていますか？
なんの話をしているときに、一番テンションが高いでしょうか？
一度、振り返ってみるといいでしょう。

3 自分が何が好きで何が嫌いなのかを知る

あなたは、何に対して、一番時間や労力、お金を使っていますか？
ぜひ分析してみてください。

4 自分がどんな人が好きなのかを知る

どんな人とたくさん時間を過ごしているか、どんな人といると楽しいか、立ち止まって考えてみましょう。

5 自分がどんな話を聴きたいのかを知る

ふだん、どのようなテレビ番組や雑誌、またはネットの記事をチェックしているか、思い出してみてください。

このようなことがわかれば、周囲に、自分と似た価値観を持った、自分の好きな人ばかりが集まって来るようになります。

ちなみに私は、静かな場所が好きで、騒々しい場所が苦手です。

したがって、私の仲のいい友達は、私が苦手としているものを知っているので、一緒に食事をするときは、騒がしくなるお店ではなく、比較的静かなお店を選んでくれます。

自分のことをよく理解し、他人にも理解してもらえたならば、きっとあなたは、心地いい環境を作ることができるでしょう。

ふむふむ

02

「自分の気持ちを出す」ことの苦手意識をなくす

ここであなたに、相反する2つのメッセージをお伝えしたいと思います。

ひとつは、「自分の気持ちを出すのが苦手」という意識を払拭して、「今までは、人に気遣ってばかりで自分の気持ちを出さなかっただけで、自分の気持ちを出そうと思えば少なからずできる」と、強がりに似た気持ちを持つこと。

と同時にもうひとつ、

「自分の気持ちを出すのは苦手だけれど、それが何か？」

という開き直りの精神を持ってほしいとも思っているのです。

ぜひ、

「自分の気持ちを出そうと思えばできるけれど、そうすることで誰かを害するくらいなら、自分の気持ちを出すのを避けたい」

と捉えるようにしてください。

自分の気持ちを抵抗なく素直に出せる人は、そもそも苦手意識などありません。

同時に、「自分の気持ちを出すことによって、多少、人の気持ちを害しても、それはそれでしかたがない」と、どこか開き直っているのです。

自分の気持ちを出すことに苦手意識を持っていると、誰かに話しかけることさえできなくなってしまいます。

ですので、まずは「自分の気持ちを出すことへの苦手意識」を払拭してください。

01「ささいなこと日記」をつける

私のカウンセリングルームには、「自分のことをうまく話せない」「本音を出すのが苦手」という悩みを持つ方がご来室されることがあるのですが、みなさん「いざ話そうと思っても、何を話したらいいか、わからないんです」とおっしゃいます。「話すことがあるのに、緊張して話せない」というのならまだしも、「そもそも話すことがない」というのでは、話せないはずです。

そのようなクライアントには日記を書くことをおすすめしています。

するとみなさん、「日記なんて、毎日何を書いたらいいのですか?」と、よくおっしゃいます。

私は答えます。

「なんでもいいですよ。今日あったこと、今日思ったこと、今日感じたことを、自由気ままに書いてください」

「どのくらい書けばいいのですか？」

「書くボリュームも自由です。書きたいことを書きたいように、書きたいだけ書けばいいです」

次の回にご来室されたクライアントは、こう言います。

「何を書いたらいいかわからなかったので、これだけしか書けませんでした」

承諾を得て日記を見せてもらうと、次のようなことが書かれています。

○月○日（金）
今日は会社に行った。仕事して、夜家に帰って、夕飯を食べて寝た。
○月○日（土）
今日は買い物に行った。メイク用品を買った。夜は、友達とフレンチを食べた。
○月○日（日）
今日はずっと、家でゴロゴロしていた。ネットフリックスを観た。
○月○日（月）

今日も会社。午前中は、会議だった。今日はたくさん残業して家に帰った。

こんな調子で、毎日1行しか書いていません。

私は言います。

「ええ、これだけ書ければ十分です。あとは、毎日続けるだけです」

最初は頭を捻りながら、何を書こうか思い悩んでいたクライアントも、2~3週間くらい経った頃には、何も考えず、たくさん書くことができるようになっています。

例えば、次のように。

○月○日（金）

今日も会社に行った。通勤列車の混雑には、いまだに慣れない。うんざりする。会社に着いた頃には、すでにヘトヘトな状態。今日は午前中、上司から嫌味を言われた。もういいかげんにしてほしい。フラフラになって、夜家に帰って、ご飯を食べて寝た。

○月○日（土）
今日は、のんびり起きて、昼すぎから買い物に行った。靴屋さんの前を通ったら、衝動的にほしくなってブーツを買ってしまう。家には、ほとんど履いてないブーツがたくさんあるというのに……。夜は、同僚と話題のタイ料理屋に行った。とってもおいしかった。
○月○日（日）
今日はずっと、家でゴロゴロして過ごした。朝から、録画していた番組をたくさん観ることができた。午後からは、スマホでゲームしていた。無駄に1日を過ごした感はあるけど、たまにはこういう日もあっていいと思う。また明日から仕事だ。頑張ろう。
○月○日（月）
今日も会社に行った。午前中は、会議だった。眠たかった。ほとんど発言らしきものはせずに退屈したまま終わった。午後からは、現場回りをして、会社に戻って作業をたくさんした。残業して家に帰った。遅い夜ご飯を1人で食べた。

さらに2～3週間経った頃には、1日の出来事を、ノート1ページに、ぎっしり書けるようになっています。

すると、その頃には、クライアントに大きな変化が生まれています。

「最初はただその日の出来事しか書いていなかったけど、次第に『おいしかった』『うんざりする』『頑張った』など、自分の気持ちを書けるようになって、それと同時に、何を話していいかわからなかったのに、『誰かに話したい』って思うことが見つかりました！」

こんなふうにお話ししてくださいました。

これは、とても大きな進歩です。

日記にたくさん書けるようになったクライアントは、「何が好きで何が嫌いで、どんなことに興味を持ち、どんなことに感動するのか」という自己理解が深まっていて、人に「自分の気持ち」をたくさん話せるようになっています。

あとは練習です。

はじめは、聴き上手な優しい人に、少しでも、思っていること、感じていること、考えていることを話してみてください。

最初は緊張しながらでも、数をこなせば慣れていき、だんだんとスムーズに話せるようになるでしょう。

ちなみに私は、ほぼ毎日、日記を書いています。

そのおかげで、人前でも話せるようになり、こうして文章も書けるようになりました。

本当にありがたい限りです。

あなたも日記を書くことに挑戦してみてください。

02 「ネガティブ日記」をつける

「今日あったこと」「今日思ったこと」などを書く日記というものは、どんな思いに対しても、黙って聴いてくれます。

最近では、感謝を綴る「感謝日記」や、前向きなことだけを書く「ポジティブ日記」をつけると自分の気持ちが明るくなると言われていますが、その一方で、「『感謝日記』『ポジティブ日記』を書いていると、よけいにつらくなる」という声をいただくこともあります。

「感謝できることや、よかった出来事を無理に探そうとして1日を振り返っても、『何もいいことがなかった』としか思えません。『今日も朝起きることができた』『今日も食事を摂ることができた』と書いたとしても、『こんな当たり前のことしか書くことができないのか』と情けなくなるのです」

と……。

個人的には、無理して感謝の気持ちやポジティブな気持ちを書かなくてもいいと思っています。

そもそも、日記を書く目的は、話すこと、つまり、今持っている悩みを手放すこと。

私は、ほぼ毎日、日記を書いていますが、不平不満、愚痴、人の悪口、文句、泣き言など、とても人には言えないネガティブなこともたくさん書きます。

日記は決して、「お前は間違っている」などと反論しませんし、書き終えると、カタルシス（浄化・解放）効果といって、とても清々しく、爽やかな気持ちになります。

社会心理学者ジェームズ・ペネベーカー博士によって生み出された「エクスプレッシブ・ライティング」（自分の感情を掃き出し、不安を解消する）という手法がありますが、私が綴っている日記はそれに近いのかもしれません。

私は、この「ネガティブな日記」を書いたあと、「今日あった感謝できること」「今日よかったこと」「今日嬉しかったこと」「今日、安堵感を覚えたこと」などを綴ります。

これは強引に見つけようとして書くものではなく、自然に湧いてくるものです。

そうして、「今日という一日も、悪いことばかりじゃないな。明日も頑張ろう」と思えてくるのです。

私が人に対して、不平不満や愚痴、人の悪口や文句や泣き言を言うことが少ないのは、毎日、このような「ネガティブ日記」を書いているからだと思います。

この「ネガティブ日記」は　あとあと読み返すようなことがあっても、

「ああ、あの頃は、こんな小さなことで悩んでいたんだな」

「今、悩んでいることも、やがてつまらないことだと思える日が来るんだろうな」

などと、達観した気持ちになることができます。

あなたもぜひ、試してみてください。

私のクライアントでも、

「『ネガティブ日記』を書くようになってから、不安が消えて寝つきがよくなった」

「彼氏に長いＬＩＮＥを送って悩みをぶつけることがなくなって、重い女から卒業できた」

などと、喜びの声をいただいています。

ただ、ここでひとつ注意点があります。

ネガティブ感情を書いたことにより、よけいに落ち込んだり、つらくなるようでしたら、「ネガティブ日記」はおすすめできません。

プンプン
メソメソ
なぜ？
スッキリ!!

03 欠点を書き出す

「自分の気持ち」に気づくためには自分の嫌いな部分も受け入れる必要があります。

自分の嫌いな部分（例えば、引っ込み思案や自己主張が苦手など）は、自分がそう捉えているだけで、実際は、他人から嫌われるものでもないかもしれません。

したがって、まずは、「自分の嫌いな部分は、実は人から愛される個性かもしれない」と考え方を変えてみましょう。

引っ込み思案や自己主張が苦手ということは、奥ゆかしい、協調性があるとも言えるのではないでしょうか。

そして、「しっかり話を聴いてもらいやすい」という利点にもつながると思います。

「必要以上に自分をディスカウント（値引き）することなく、今のありのままの自分を受け入れる」、それが自分を好きになる、大切な方法なのです。

ちなみに私は、強烈なＨＳＰ（ハイリー・センシティブ・パーソン／繊細な気質を持つ人）で、

聴覚過敏、視覚過敏、嗅覚過敏、味覚過敏、触覚過敏、心覚過敏をすべて持っています。

この過敏さは、欠点かもしれませんが、仕事である心理臨床をやるうえでは、大いに役立っています。

クライアントがニコニコしていても、顔や指先の微妙な動きを見ていて、「心の中で泣いているなあ」とわかることが多々あるからです。

あなたは、自分自身にどのような欠点があると思っていますか？

そしてそれは、本当に欠点以外の何ものでもないですか？

COLUMN

無理して心を開かなくていい
～「生まれつき性格」について①～

世の中には、生まれつき、心を開きやすい人と心を開きにくい人がいます。

この生まれ持った性格を「生まれつき性格」と言います。

心を開きやすい人は警戒心が弱くて怖がりではないタイプ、心を開きにくい人は、警戒心が強くて怖がりなタイプです。

私は性格心理学を勉強してきたのですが、私の印象では、生まれつき、心を開きにくい人は3割ほど、心を開きやすい人は4割ほど、どちらでもない人が3割くらいです。

そして、この「生まれつき性格」に良い悪いはなく、「怖がりでないほうがいい」とか、「怖がりはよくない」といったことはありません。

さらに「生まれつき性格」は、治すものでも治るものでもありません。

まずは、自分の「生まれつき性格」をしっかり理解し、活かしてほしいと思います。

海にいるヒラメやカレイを見てみましょう。

彼らは、とても用心深く怖がりで、砂に潜ってばかりいます。

そんなヒラメやカレイに向って、キラキラと色鮮やかな熱帯魚が次のように声をかけたとします。

「ヒラメさん、カレイさん、そんな砂に潜って隠れてばかりじゃダメだよ。もっと僕らのように、目立って生きていかなくちゃ。魚っていうのは、目立ってなんぼのものだから」

ヒラメやカレイは納得するでしょうか？

納得しませんよね。

彼らはずっと、これからも、心を閉ざしているかのごとく、砂浜に身を埋めたまま、生きていくことでしょう。

あなたが「心を開くことが怖い」「自分のことを話すのが苦手」と思っているなら、最初から無理して頑張らずに、ゆっくり心を開いていったほうがいいでしょう。

自分本来の性格、つまり「生まれつき性格」をよく鑑みて、適切な量、適切なスピードで心を開いていってほしいと思います。

第4章

「自分の気持ち」と「誰かの気持ち」に向き合う

～無理せず、「相手のこと」も受け入れる～

01 誰もが話を聴いてもらいたがっている

世の中には、「話したい人」と「話を聴いてもらいたい人」の2種類の人間がいます。

そう、「話したい人」と「話したくない人」の2種類がいるわけではありません。

話したい人は、ただ話したいだけあって、相手が自分の話を聴いていようと聴いていまいとおかまいなしです。

相手が退屈していようが迷惑していようが関係ありません。

思いついたことを、ただペラペラと話しているだけなのです。

一方、話を聴いてもらいたい人は、違います。

「相手にしっかり聴いてもらいたい」

「自分のことを理解してもらいたい」

と思っているので、話を聴こうとしない人に対しては、話す気を失い、口を閉ざしてしまいます。

世の中には、お説教が長い人がいますが、彼らは「話したい人」です。

また、誰も聴いていないのに、延々と自分の考えを語る人も「話したい人」です。

「話したい人」と「聴いてもらいたい人」の2種類の人間がいるとお伝えしたように、「話したくない人」と「聴いてもらいたくない人」もいません。

誰もが、本当は話したいし、話を聴いてもらいたいのです。

けれど、世の中には、無口でなかなか話そうとしない人がいます。

実は、彼らは話すのが嫌いなわけでも、聴いてもらうのが嫌いなわけでもありません。

彼らは、「否定されたくない」「誤解されたくない」「スルーされたくない」という理由で口を開こうとしないだけです。

私は、毎日のように心理臨床をしているのですが、無口な人など1人もいません。

根気よく熱心に耳を傾け続ければ、どの方も、やがては饒舌になります。

なかには、小声でしか話さない人や、話すテンポが遅い人もいますが、話すのが嫌いだという人には、私は一度も会ったことがありません。

あなたが、話を聴いてもらいたい人、理解してもらいたい人であれば、「ただ話したい人」を目指すのはやめましょう。

「話したい人なのか、話を聴いてもらいたい人なのか」ということは、ほぼ生まれつき決まっています。

途中で変わることは、ほとんどありません。

したがって、あなたが「話を聴いてもらいたい人」ならば、「話を聴いてもらいたい自分」を大切にして、相手の話もしっかり受け止め、自分の話もしっかり聴いてもらう人を目指してほしいと思います。

ここからは余談になるかもしれませんが、ちょっと聴いてください。

私は、仕事柄、よく勉強会やセミナーに参加します。

そこで講師から、

「5人1組のグループを作ってください。そして簡単な自己紹介をして、講義の内容で感じたことを、互いにシェアしてください。お時間は15分です」

などと言われることがあります。

私は瞬時に、「自分の持ち時間は3分だな」と計算します。

それにもかかわらず、5人もいると、毎回、必ずと言っていいほど、1人で5分も10分も話す人がいます。

言葉は悪いですが、私は正直、「時間泥棒だなあ。こういう話したがりな人は、他人に迷惑をかけていることに気づかないのだろうな」

と心の中で思っています。

02

「うまく自分を出しながら話を聴いている人」を観察する

適切に人の話を聞いて、適切に自分の話をして、その場の雰囲気を和やかにする。

そんなコミュニケーション能力の高い人っていますよね。

コミュニケーション能力の高い人は、生まれつきという部分も大きいのですが、半分くらいは、育ってきた環境によるものです。

養育者（親であることが多い）が熱心に耳を傾ける人であったのなら、幼少時代から自分の気持ちを出すことが得意になると思いますが、そうでない場合は、自分の気持ちを出すことに躊躇してしまうことでしょう。

けれど、コミュニケーション能力というのは、鍛えれば向上していくものです。

私のクライアントで、大人しくて口下手な人がいたのですが、その人は、身体が弱く肉体労働が続かなかったため、思いきって電話営業の仕事に就きました。

最初の頃は、電話口でしどろもどろになり、思うように話せなかったそうですが、先輩の話し方を観察し、真似するうちに、少しずつ上手になり、今や立派な電話営業マンとして活躍しています。

あなたも、努力すれば必ず、相手の話に、どう頷きどう相槌を打ち、どう自分の話をしていけばいいかがわかり、コミュニケーション能力が高い人になることができるでしょう。

私は、バラエティ番組をよく見るのですが、ひな壇に座る「ガヤ」と呼ばれているお笑い芸人が、司会進行の人に絡んでいく様子を興味深く観察しています。

そして、「ああやって、人の話をしっかり聞いて、周りの雰囲気を的確につかみ、自分の失敗談を面白おかしく話すなんてうまいなあ」と感心します。

あなたもコミュニケーション能力を高い人をしっかり観察して、取り入れてみてください。

そうすれば、きっと自分の気持ちを無理なく出していけるようになると思います。

03 「聴き上手な人」ではなく、「聞き普通な人」になる

誰かに自分の話をして、自分という人間を理解してもらうことで、「つながり感」を持つことができます。

「人とつながっている」と思えたあなたは、脳内から幸せホルモンであるオキシトシンが放出され、きっと幸福感を覚えることでしょう。

でも、誰かに話をする人になる前に、誰かの話を聴ける人になることが大事です。

世の中には、「聴き上手な人」と「聞き下手な人」と、その中間の「聞き普通な人」がいますが、私はあなたには、「聞き普通な人」になってほしいと思います。

「聴き上手な人」「聞き下手な人」「聞き普通な人」は、次のように分類できます。

・聴き上手な人――興味のない話でも、全身全霊で相手の立場に立って話を聴ける。

頷きも相槌も、話し手の話の要約もうまい。
・聞き普通な人――特別に聴き上手でも、特別に聞き下手でもない。自分の興味ある話は熱心に聞き、興味のない話は聞き流す程度に聞く。
・聞き下手な人――相手の話を聞かない。相手の話を遮って自分の話をしてしまう。

私は、「聞く」と「聴く」をわけて考えています。

「聞く」は、ただ単に、耳の中に音声が入っている状態、「聴く」は、関心を向けながら聞いている状態を言います。

よく「聴き上手になればいい」なんて言われますが、個人的には、「話し上手になるより、聴き上手になるほうが難しい」と思っています。

私は講演会やセミナーの講師をすることがあるのですが、調子が良いときでも悪いときでも、普通に人前で話をすることができます。

けれど、話を聴くことに関しては、心身の調子が悪いと、途端にできなくなります。

つまり、人の話を聴くということは、神経を研ぎ澄まさないとできない、非常に難しいことなのです。

あなたも、ほかのことを考えていたり、睡眠不足が続いたときは、友達や上司の話をちゃんと理解できなかったという経験があるのではないでしょうか?

したがって、「聴き上手になろう」なんて大それたことは言いませんが、せめて「聞き普通」は目指してほしいと思います。


私は、中学時代も高校時代も、勉強もそこそこ、運動もそこそこで、特に目立つような存在ではありませんでした。

けれど話を聴くのが上手だったため、よく「竹内、俺の話を聴いて」「竹内くん、私の話を聴いて」と言われたものです。

その頃の私は、友達の友達、そのまた友達と、自分が全然知らない人の家にまで行って、話を聴いていました。

当時、「話を聴いてくれてありがとう」と言われることが多く、お茶や食事をごちそうになったことや、プレゼントや手紙をもらったことも、数知れずありました。

そして、ここからがまた肝心なのですが、話を一生懸命に聴くと、必ずと言っていいほど、言われるのです。

「今度は、竹内くんの話を聴かせてほしい」と……。

あなたも「聴き上手」でなくても、「聞き普通」を目指してみてください。

そうすれば、きっとみんなから感謝される、貴重な存在となることでしょう。

「話をしっかり聴いても、感謝もないし、私の話も聴いてくれない人にはどうしたらいいですか？」

と訊かれることがあります。

そういう人は、ギブ&テイクで言うテイクのみのテイカー、奪う人です。

このまま一緒にいても、あなたは消耗してしまうでしょう。

01「聞き普通」になる6つのコツを知る

話を聴くときは、ただ単に聴くのではなく、相手が話しやすいように聴く必要があります。

そのためのコツを、次に6つ紹介します。

1「あなたの話に興味がありますよ」という表情をする

できれば目を輝かせ、前のめりに、相手が笑ったらあなたも笑い、相手が悲しそうな顔をしたらあなたも悲しそうな顔をしてください。

2 話を聴きながら頷く

時には小刻みに、時にはゆっくりと頷いてください。

意識して、ちょっと大袈裟にするくらいがちょうどいいです。

そして、タイミングよく頷いていきましょう。

3 話を聴きながら相槌を打つ

2の頷きとセットにして、「はい」「ええ」「うん」「うんうん」「へぇー」「ふーん」「そう」「なるほど」「それでどうしたの？」と、合いの手を入れていきましょう。

その際、重要なのは、「どの相槌を、どのようなタイミングで言うか」ということと声色、そして声のボリュームです。

相手が話している最中は、話の邪魔にならないよう小さな声で短く、相手の話が一区切りついたときは、大きめの声で比較的長く相槌を打つようにしてください。

4 適時、「繰り返し」を入れる

話し手が「いやになっちゃった」と言ったら、「いやになっちゃうよね」とか「そう、いやになっちゃったんだ」と繰り返しましょう。

話し手が「疲れちゃった」と言ったら、「疲れちゃうよね」「疲れちゃったんだね」と言いましょう。

これを適時、入れていくのがコツですが、入れすぎるとただの「オウム返し」となり、話し手は馬鹿にされたように受け取ります。

十分に注意してください。

5　適時、要約を入れる

「なるほど。つまり○○ということなんですね」と、話し手の話を要約していきます。

これができれば、話し手は「聴いてもらっている」と、心地よく感じます。

6　ときどき質問する

ここでの「質問」というのは、自分が聞きたいことを質問するということではありません。

相手が話したいだろうと予想されることを察知して質問していくことです。

上手に質問できれば、話し手は、「よく聞いてくれました！」とばかりに、ノリノリになって話をしてくれます。

コツは、事実の確認ではなく、相手の気持ちや感情に焦点を当てて聴いていくこと。

例えば、「○○という映画を観に行ってきたんだ」と言う相手に対して、「今、映画館って、料金いくらなの？」と訊くのではなく、「どうだった？」「面白かった？」と訊くということです。

ここまで読んでいかがですか？
「なんだか難しそう」と感じたかもしれませんね。
でも大丈夫。
意識するだけで、誰でも少しは必ず、「聞き普通」になれるものです。
どうぞ、安心して取り組んでみてください。

02 温かい関心を持つ

私は心理カウンセラーにとって一番大切なのは、「クライアントに対し、共感的理解を示すこと」「クライアントに対し、無条件の肯定的な関心を寄せること」、そして「そんな自分に嘘がないこと」と思っています。

クライアントに共感的理解を示すことは、テクニックでなんとかなるのですが、無条件の肯定的な関心を寄せることに関しては、テクニックではなんともなりません。

私自身、何か気にかかることがあると、気が散って、クライアントに温かい関心を寄せることができなくなるからです。

したがって、クライアントに温かい関心を持ち、いいカウンセリングを提供し続けるために、自分の心を穏やかな状態にしておかなければなりません。

というのも、「こう言ったら、相手からどう思われるか」という精神状態では、とても相手に温かい関心など寄せられないからです。

あなたも、「相手からどう思われるか」ではなく、

「相手は何を考えているのかな」

「相手はどのような感情を持っているのかな」

「自分が相手にしてあげられることってなんだろう?」

という気持ちを持つように心掛けていってください。

それが「温かい関心」となって、相手に伝わります。

そうすれば、相手もあなたと同じように、あなたに温かい関心を持ってくれるようになります。

あなたが相手に温かい関心を寄せる。

相手もあなたに温かい関心を寄せる。

そうすれば温かい空気が、あなたと相手を包んでくれることでしょう。

03 話を聴くうえで避けたい7つのこと

話を聴くうえで避けたい7つのことがあります。

次に、簡単に解説します。

避けること1　相手の気持ちを否定する

婚活中でパートナーを探している女性がいたとします。

その女性が言います。

「彼氏がいなくて、今年も1人でクリスマスを過ごさなきゃいけなくて寂しいんだ」

すると、こんなことを言う人がいます。

「何言っているの？　ペットを飼ってるんでしょ。私なんか1人暮らしでペットもいないから、あなたよりもっと寂しいよ」

もしくは、

「それって自業自得じゃない？　本気で婚活していない結果じゃないの？」

これでは話し手を「『寂しい』と感じるあなたは間違っている」と否定しているのと同じです。

自分の気持ちを否定された話し手はどう感じるでしょうか？

きっと話す気がなくなると思います。

ここでついアドバイスをしてしまう人もいますが、よけいなアドバイスは、よほどしつこく訊かれない限りは、控えたほうが賢明でしょう。

なぜなら、アドバイスというものは、「今の考え方や行動ではダメだから、こうしてみてはどう？」と相手を否定しているからです。

避けること2　一般論を言う

「寂しい」とつぶやく女性に対し、「誰だって寂しいのよ。あなただけじゃない。歳をとれば、みんな同じなんだから」などという一般論を浴びせる場合。

この場合も、話し手は「言わなければよかった」と口をつぐむよりほかありません。

避けること3　質問責めにする

「寂しい」とつぶやく女性に、「いつから彼氏がいないの？」「どんなときに寂しいって感じるの？」「前の彼となんで別れたの？」などと、相手の気持ちを考えず、立て続けに質問をしたら、相手はそれ以上話す気が失せます。

避けること4　他人をかばう

「あなたのお母さんだって、心配するんじゃない？」と言って、話し手以外の人物をかばってはいけません。

自分ではなく、自分以外の人に共感された話し手は、「私のことをわかってもらえない」と思うでしょう。

避けること5　哀れむ

「寂しい」と聞いて「かわいそう」「お気の毒」などと言わないようにしてください。

みじめな気持ちになるだけです。

避けること6　分析する

「あなたが寂しいのは、友達がいないからじゃないの？」「趣味がないからじゃないの？」などと、下手な分析をされて喜ぶ話し手はいません。

避けること7　自分が話しすぎる

「私だって寂しいよ。私なんかね……」と言って、自分の話をペラペラと話す人もいますが、話し手は自分の話を聴いてほしいのに、聴き手に話を取られて不愉快な気持ちになります。

「こんなこと、私はしない」と思いますか？

しかし実際には、10人中9人以上が、これらのいずれかを悪気なくやっています。

だから、多くの人が、心の底に、「誰からもわかってもらえていない」という孤独感を抱えているのです。

ちなみに、ここでの正解は、「寂しい」と言う相手に対して、優しいまなざしを向けながら、適切な音量、優しい声色で、「そう、寂しいんだね」と言ってあげることです。

04 魔法の相槌言葉を使う

相手の話を聴くときは、上手に相槌の言葉を入れていきましょう。

有名な相槌に「さしすせそ」というものがあります。

さ——さすがですね。

し——知らなかった。実力ですね。

す——すごいですね。

せ——センスありますね。

そ——そうですね。そうなんですか。

続いて、相槌「あいうえお」をご紹介します。

あ——ありがたい限り。ありがとう。

い——いいえ、とんでもないです。

う——運がよかっただけです。それは運が悪かったですね。

え——ご縁がありますね。
お——恩に着ます。恩を感じます。

相槌「さしすせそ」は、相手が気持ちよく話しているときに意識するといいでしょう。

一方、相槌「あいうえお」は、何か言われたときに意識してみてください。

この両方を自在に使えるようになれば、「聞き普通」を通り越し、「聴き上手な人」になっていきます。「聴き上手な人」になれたら、あなたはもっと周りの人から大切にされる存在になっていることでしょう。

05 「最近、どうですか?」で切り出す

以前、「『最近、どうですか?』と訊く人は、会話下手である」と書かれてある本を読みました。

「何をどう答えたらいいかわからない質問だから」という理由だそうです。

したがって、「『今は、どんな仕事をしているんですか?』とか、『最近、忙しいですか? 新しい環境には慣れましたか?』と具体的に尋ねたほうがいい。そうしたほうが、相手が深く考えなくても答えられるので、会話が円滑に進みやすくなります」と、その著者は言います。

私は、この意見に同意しかねます。

失業中の人や、自分の意にそぐわない仕事をしている人にとっては、仕事の話なんてしたくないのではないでしょうか。

そのような人に向って、「今は、どんな仕事をしているんですか?」と訊いたら失

礼にあたります。

そもそも、「最近、どうですか？」と訊かれていやがられるようでは関係が終わっています。

それは最初から、「あなたとはコミュニケーションを取りたくない。あなたに自己開示などしたくない」というあらわれと言っていいでしょう。

私は、親しい人に「最近、どうですか？」とよく訊いています。

それは、「今、もっともあなたが興味や関心を持っていることを聞かせて。一緒にわかち合おう。気持ちを共有しよう」という問いかけだからです。

私「最近、どうですか？」

相手「今、ちょっと気持ちが落ちていて……」

私「えっ、どうかしたんですか？」

相手「なんか最近、彼氏の態度が気になって……」

などと話が広がることがあります。

あなたも、「最近、どうですか？」をきっかけに、気持ちを出すようにしてみてください。

06 心を開いて話を広げる

「心を開く」ということは、結構難しいことです。

心を開くことが上手な人は、生まれ持った能力もありますが、育てられた環境も無視できません。

また、幼少時代をどう過ごしたかも大いに関係していますが、いずれにせよ、今まで数多くの失敗を重ね、上手になっていくものです。

そう、心を開くためには、練習が必要なのです。

ですので、最初は、話しやすい相手、威圧的な雰囲気を持っていない相手を選んで、心を開いていくといいでしょう。

相手から温かくて穏やかな空気が自分に流れ込んでくるイメージを持つと、緊張することなく、自然に話せるようになるものです。

そうやって練習を積み重ねていけば、徐々に自信がつき、少しずつ、いろんな人に対し、適度に心を開いていくことができるようになります。

また、あなた自身、相手の真正面で話したほうが心を開きやすいか、同じ方向を向いたほうが心を開きやすいか、または斜め前のほうがいいのかということも知っておくといいでしょう。

1対1のほうが心を開きやすい人や、多人数のほうが心を開きやすいという人もいるので、自分がどちらなのかも知っておいてください。

話をするときは、肩の力を抜いて、ゆったりとした呼吸を心掛け、深刻そうにせず、過去の話・現在の話・未来の話のいずれかをするといいでしょう。

「私、○○したことがあるの」でも、「私、○○しているの」でも、「私、○○しようと思っているの」でもかまいません。

「どう心を開けばいいのか」ということについて、同じカウンセラー仲間に尋ねたところ、次のような回答がありました。

「小説、特に歴史小説を読むといいよ。すると、世の中には、いろんな人がいて、いろんな考え方や価値観があるということがわかって、自分が考えたことをどう表現してもいいんだと思えるようになる。本を読むだけで、今よりもっと自由になれるんだよ」

「モデリングするに限るね。誰か、好きな人か憧れる人を思い浮かべで、その人になりきって行動して、自己表現するようにしていったらいいよ。そうすれば、自分でも驚くほど、自分の気持ちを素直に言葉にすることができる」

歴史小説を読むこと。

モデリングすること。

ぜひ、参考にしてみてください。

私ね、この作者さんが
とても好きなの

07 感謝を忘れない

「相槌あいうえお」でご紹介した「ありがとう」。
この言葉の反対語は「当たり前」です。

したがって、自己開示し、話を聴いてもらえたら、「当たり前」ではなく、「ありがとう」という感謝の気持ちを忘れないでください。

あなたの感謝の気持ちは、相手に伝わります。

「ありがたい」という言葉は、漢字で書くと「有難い」となります。

これは、「有るのは難しいことであり、有るのは簡単ではない」という意味です。

「人に話を聴いてもらって当たり前」「人に優しい言葉をかけてもらって当たり前」という気持ちでいると、残念なことに、少しでも自分の思い通りにならないと、「ちゃんと聴いてもらえなかった」「ほしい言葉をくれなかった」などと不満の塊になってしまいます。

そのような人は、どれだけ人に愛情をもらっても、気づかないことが多いですし、気づいたとしても、「まだ足りない」と求めることがあります。

あなたが感謝の気持ちを持てば、世の中は幸せに満ちたものになるはずです。

ですので、温かい関心を持って、笑顔で声をかけましょう。

そして、相手に温かい関心を持って、質問するようにしてください。

相手が応えてくれたら、その話を熱心に聴きましょう。

COLUMN

性格は9つのタイプにわけられる
～「生まれつき性格」について②～

先述したように私は、気質と呼ばれる「生まれつき性格」を研究しているのですが、性格というものを次のような9つのタイプにわけ、それを用いて、クライアントを理解しようと努めています。

この9つのタイプは、「愛とは何か?」という定義がそれぞれ違うことが特徴です。

あなたは次のうち、どのタイプに当てはまりますか?

自己判断でかまいませんので、チェックしてみてください。

この分析から、「何をもって愛と感じるかは人それぞれ違う」ということについて、少しでも理解してもらえればと思います。

1　おじいさんタイプ――「愛とは、愛する人の意志や考え方を、どこまでも尊重していくことだ」と考えています。

2 おばあさんタイプ――「愛とは、愛する人と向き合い、共に穏やかに調和して、ありのままを受け容れ合うことだ」と考えています。

3 お父さんタイプ――「愛とは、愛する人を苦難から救い、一生を守り通すことだ」と考えています。

4 お母さんタイプ――「愛とは、愛する人に尽くし、愛する人をお世話することだ」と考えています。

5 長男タイプ――「愛とは、愛する人に優しくかまわれ、楽しい時間を共有していくことだ」と考えています。

6 長女タイプ――「愛とは、愛する人に信頼されて、同じ道を前向きに共に歩んでいくことだ」と考えています。

7 二男タイプ――「愛とは、愛する人と励まし合って、共に人生を切り拓いていくことだ」と考えています。

8 二女タイプ――「愛とは、愛する人と信じ合い、助け合って、共に支え合うことだ」と考えています。

9 末っ子タイプ――「愛とは、愛する人に深く正しく理解され、想いを共有していくことだ」と考えています。

あなたが「末っ子タイプ」であるのなら、あなたにとって「理解」は、愛そのものです。

相手の話を聴いて、相手のことを理解する。自分のことを話して自分のことを理解してもらう。それは愛の交流と言っていいでしょう。

もし、あなたが「末っ子タイプ」でないとしても、やはり互いに理解し合うことは、愛を感じる大きな行為と言っていいのではないでしょうか。

もっとも孤独に強いと言われている「おじいさんタイプ」だって、「たまには、ごく限られた人だけでいいので、自分のことを理解してほしいと思う」と言っています。

自分のよき理解者が世の中に大勢存在してくれていたほうが生きやすいものですし、心満たされるものだと私は思います。

この９つのタイプを参考に、自分の「生まれつき性格」について考えてみましょう。

そして、自分の目指すべき性格、幸せになる性格を知り、努力しましょう。

そうすれば、あなた自身の人生は大きくひらけていくはずです。

第5章

「自分の気持ち」を小出しにしていく

～「本音」を伝える、ちょっとしたきっかけ～

01

軽蔑されることを恐れない

私のカウンセリングルームでは、自分の気持ちを出すこと、人と打ち解けることに苦手意識を持っていらっしゃるクライアントが多いのですが、みなさん、「自分から話題を提供することが苦手です」と言われます。

「気の利いたことを言わなければならない」

「面白いことを言わなければならない」

「勉強になるようなことを言わないといけない」

と、自分に対し、勝手にプレッシャーをかけています。

でも、気の利いたことも面白いことも勉強になることも、言わなくていいです。

話したいことを話したいように、話したいだけ話せばいいのです。

でも、彼らはそれができません。

つまらないことを言って、「面白みのない人間だ」と軽蔑されることを恐れているからです。

一度、人の話をよーく耳を澄ませて聴いてみてください。

そうすれば、「誰もが、取るに足らない、些細な話をしている」ということがわかると思います。

面白い話をすることができるのは、芸人さんくらいです。

勉強になるような話をすることができるのは、人気講師くらいです。

どうぞ、肩の力を抜いて、人と一緒に楽しく過ごすように心掛けていってください。

02 他人に期待しすぎない

私は、『浮浪雲』（小学館）を描いた漫画家のジョージ秋山さんが大好きでした。

ジョージ秋山さんは、生前、こんなことを言っていました。

「いい人なんかいない。でも本当にいい人はいる」

この意味を、私は次のように解釈しています。

「人に期待するな。人に求めるな。しょせんこの世には、いい人などいないのだから。でも、人に期待しない人になることができれば、ふとした瞬間に、『この人、本当にいい人だなあ』と思える人に出会うことができるようになるでしょう」

つまり、人に期待しすぎない、人に求めすぎないということです。

そうすれば、心を開きたくなるような素敵な人に出会うことができるでしょう。

他人に期待する人は、「〇〇してほしい」とストレートに要望を言わずに、自分の

意図や気持ちを察知してもらおうとしがちです。

そして、自分の期待にこたえてくれない人に対して、勝手に腹を立てていることがあります。

もし、ほしい物があるなら、察してもらおうとせず、素直に「もうじき誕生日なの。高くないものでいいので、○○をプレゼントしてくれると嬉しい」と言いましょう。

相手が期待にこたえてくれたら最高ですね。

大事なのは、「期待にこたえてくれるだろう」と勝手に思い込まないことです。

01 心を開く相手を選ぶ

心を開く相手は、慎重に選んだほうがいいでしょう。

「自分には、選ぶ権利なんてない」なんて思わないでください。

そして同時に、「心を開ける相手を見つけることは簡単ではない」ということも、覚えておいてください。

心を開く相手は、話しかけやすい雰囲気があり、温厚そうで、笑顔が素敵な人、威圧感がなく、誠実そうな人がいいでしょう。

どんな人に心を開くかは、とても重要です。

くれぐれも、疎かにしないでください。

「急がず、焦らず、慌てず、休まず、あきらめず」が肝心で、心を通わせることができる相手を持つには、たくさんの時間と労力が必要なのです。

心を通わせる相手、つまり友達選びを間違えると、あなたの心が傷つきます。

良きにつけ悪しきにつけ、友達は、自分の人生に大きな影響を与えるのです。

だからこそ、友達の8割は、尊敬できる人で固めましょう。

友達とは、自分自身を映す鏡のようなものです。

あなた自身がよき人間となり、よき友達を一生懸命に探しましょう。

「人生の質は、友達の質に比例する」ということを忘れないようにしてください。

02 勇気を出して話しかける

私はセミナーを開催することがありますが、来てくださるお客さんは大人しい人が多く、自己紹介タイムがあっても、こちらから「2~3分お話ししてください」と言わない限り、みなさん1分くらいで話すのを終えてしまいます。

それほど、私のセミナーに参加する人は、自ら話すのではなく、話を聴くことに長けている人が多いのですが、同じようなタイプの方がいるせいか、セミナーに参加して、「自分と価値観の近い友達ができた」とおっしゃる人は少なくありません。

なかには、「はじめて、ちゃんと話を聴いてもらった気がする」とおっしゃる人もいます。

あなたも、周りをしっかり見てください。

あなたの周りにも、ひょっとすると、目立たないだけで、話をしっかり聴いてくれる人がいるかもしれません。

そういう人に、勇気を出して、思いきって話しかけてみましょう。

思いのほか、話が弾むかもしれないし、その人が、あなたのことを理解してくれるかもしれません。

小さな勇気と出会いが、あなたの自己開示とつながり感の獲得になれば、それはとても素敵ですね。

どうぞ、話しかけやすい人、自分を受け入れてくれそうな人に、話しかけてみましょう。

その行動が、真の友達作りの第一歩となるはずです。

03 相手を意識しすぎない

先ほど、「心を開く相手を選ぶことの大切さ」をお伝えしましたが、ここで「相手を意識しすぎない」ということについて解説したいと思います。

相手を意識しすぎると、緊張して、うまく話せないものですよね。

意識しすぎないコツは、自分の興味や関心を相手に向けることです。

「こんなことを言ったら、相手からどう思われるだろうか」ということではなく、相手そのものに興味や関心を向ければ、相手を意識しすぎることはなくなります。

「相手にとって『言ってもらいたいこと』『訊いてもらいたいこと』はなんだろう」と考えてみてください。

同時に、「相手は、目の前の人の話を、しっかり聴いているわけではない」ということも覚えておいてほしいと思います。

あなたが自分のことを考えているように、あなたの目の前の人も、自分のことを中心に考えています。

したがって、そんなに緊張せず、あなたはあなたのペースで、好きなことを好きなように好きなだけ話せばいいのです。

そもそも相手は、あなたの言ったことの半分以上は聞いていません。

そして、残りの半分は誤解して捉え、さらに残りの半分は聞いてすぐに忘れます。

「ああ、あの人は確か、こんな話をしていたなあ」と、印象らしきものが残っているだけです。

ですので、「こんなことを言ったら、相手からどう思われるだろうか」などと考えるのはやめましょう。

あなたの大切な友達なら、あなたの話をしっかり熱心に聴いてくれると思いますが、それでも緊張する必要はありません。

そして、話を聴いてもらったら、「親しき仲にも礼儀あり」という言葉のように、感謝の気持ちを忘れないようにしてください。

04 5つのコツでリラックスして話す

ここでは、相手を意識せず、リラックスしながら話すコツを5つほどご紹介いたします。

1 深く呼吸することを意識する

オドオドしそうなときは、呼吸が浅くなっているかもしれません。
ふだんよりも深く長く、ゆっくり呼吸するように意識してみましょう。
コツは、細く長く息を吐くことです。
そうすると、声を出す前に息を吸うことが自然にできるようになります。

2 笑顔で話す

なるべく笑顔で話しましょう。

ふかーく
ながーく
ゆっくり

笑顔になれば、自分も、話を聴いている相手も、リラックスできます。

そうして、あなたと相手の間に、和やかな雰囲気が生まれるのです。

「笑顔がうまく作れない」という方は、鏡を見て練習しましょう。

笑顔はスキル（技術）なので、最初はぎこちなくても、練習したぶんだけ上手になります。

私も日々練習しています。

3　肩の力を抜いて、おへその少し下の位置、丹田に重心を置いて話す

肩に力が入っているとうまく話せませんし、重心が上がりすぎてしまうと、頭に血がのぼり、自分で何を話しているかがわからなくなってしまいます。

手をぶらぶら揺らしてから話すと、力が抜けていき、上手に話せるでしょう。

4　「相手の目を見て話そう」と身構えない

よく「話すときは、失礼がないように相手の目を見ることが大切」「話すときは、互いに視線を合わせるべき」などと言われていますが、このようなことは意識しなく

て大丈夫です。

むしろ「話すときは、好きなところを見て話せばいい」と気軽に思ったほうが、リラックスできるでしょう。

視線の位置が気になる方は、相手の鼻先を見ながら話すくらいがいいのではないでしょうか。

5 うまく話そうとしない

あなたは、テレビに出るようなアナウンサーでも、人を笑わせる仕事に就いている芸人さんでもありません。

「うまく話さなければならない」だとか、「面白い話をしなければならない」などと考える必要はありません。

十分にリラックスして、あなたらしく自然体で話しましょう。

05「10の会話のきっかけ」を知る

「いざ話そうと思っても、何を話せばいいかわからない」という方もいるかもしれませんね。

そのような方は、ぜひ次の「適度に整理すべし」を覚えておいてください。

〈てきどにせいりすべし〉

て　テレビ。好きなテレビ番組の話。

き　気候。お天気の話。

ど　道楽。趣味や特技の話。

に　ニュース。最近、気になっている出来事の話。

せ　生活。「どこでどんな暮らしをしているか」という話。

い　田舎。出身地の話。

り 旅行。「〇〇へ行って来たよ」「〇〇へ行きたいなあ」という話。
す スター。好きな芸能人や有名人の話。
べ 勉強。資格試験や頑張っていることの話。
し 仕事。今の仕事や、これからやりたい仕事の話。

この「適度に整理すべし」は有名なので、知っている人もいるかもしれませんね。ぜひこれをヒントにして、自分の話をしてください。

ポイントは、少しずつ相手との間合いを詰めていく、つまり話をしながら、その話に動作を加え、相手との空間距離＝心を近づけるという感じです。

どうすればいいかと言うと、「顔の表情を変え、身振り手振りをつけながら話す」ということです。

自分の気持ちを出しているとき、人は自然に、表情が豊かになり、身振り手振りをつけながら話しているものです。

自分の心がオープンになればなるほど、このアクションが大きくなります。

私のカウンセリングルームに訪れるクライアントの方も、最初は、手をギュッと握りしめ、うつむき加減で話をする人が多いのですが、私が熱心に根気強く話を聴き続けていると、だんだん手をほどき、身振りや手振りを交えて話をするようになっていきます。

私は、大きなアクションを伴った発言には、ことさらに注目し、温かい関心を寄せながら、話を掘り下げて聴いていきます。

心を開くということは、身振り手振りを交えて話すことなんだなあと、いつも思っています。

最初は、意識しながらでないとできませんが、やがては無意識に、そして自然にできるようになるでしょう。

あなたがアクションを伴って話せるようになれば、あなたは必ず、自分の気持ちを出せるようになっています。

なお、アクションは小さくても十分です。

大切なのは、自分の言葉に自分の思いを乗せていくことですから。

え そうなのー!!!
wow

06 テレビの話をする

多くの方が、ドラマ、バラエティ、スポーツなど、好きなテレビ番組のひとつやふたつはあるものではないでしょうか。

誰かと話すことがあったら、それを質問してみましょう。

そして、自分の好きな番組の話をしましょう。

相手がテレビを観ない人、もしくはテレビを持っていない人だったら、インターネットのサブスクの話をしましょう。

テレビもサブスクも観ていない人だったら、ゲームの話をしていきましょう。

さらに、ゲームもしていないという人だったら、読書家の可能性がありますので、どんな本を読んでいるのか尋ねてみるといいでしょう。

相手に質問を投げかけ、そして、自分の話をするのです。

どちらが先でもかまいません。

大切なのは、会話はキャッチボールだということです。

私は、次のような質問をクライアントに投げかけることがあります。

「○○さんって、テレビを観ますか?」

ここで答えは2つにわかれます。

「ええ、観ますよ」、もしくは「テレビは観ないですね」。

相手が「ええ、観ますよ」と答えたら、その話を興味深く熱心に聴いて、そのうえで、「私も○○という番組が好きで、毎週楽しみに観ているんですよ」と答えるといいでしょう。

自分と相手が同じ番組を観ていたら、話が盛り上がることは間違いありません。

続いて、相手が「テレビは観ないですね」と答えたら、「じゃあ、○○さんは、テレビの代わりに何を観ているのですか?」とか、「じゃあ、○○さんは、仕事が終わって家に帰ったら、何をされているのですか?」と訊いてもいいでしょう。

すると相手は、何を観ているのか、何をしているのか、教えてくれるでしょう。

たかがテレビの話、されどテレビの話です。

「テレビを観るか観ないか」「テレビを観ないのなら何を観ているのか」「テレビを観ないのなら何をしているのか」などで、相手の趣味や嗜好がわかります。

さらに、「どういう番組が好きですか？」と聞くことで、相手の人となりがわかり、さらに相手の気持ちがわかります。

同じように、

「私、恋愛ドラマを観るのが好きなの。私もああいう恋愛ができたらいいなあっていつも思っているんだよね」

などと、日頃どんな番組が好きかを伝えることによって、相手に自分の気持ちを伝えることができます。

あのドラマ
すごく好き
なの

07 天気の話をする

天気の話は定番ですね。

「今日は、いい天気ですね」

「そうですね。今日は涼しいですね」

とか、

「よく降る雨ですね」

「そうですね。今日は天気予報では、一日中、雨のようですね」

などなど。

ここで気づいた方もいるかもしれませんが、声をかけられたほうは、「そうですね」の一言で終わらせず、必ずひとつ、話を乗せています。

こうしないと話が弾んでいきません。

したがって、「話しかけられたら、話をひとつ乗せる」ということを心掛けていってください。
そうすれば、あなたも、だんだんコミュニケーション上手になっていきます。
例えば、こんなふうに。

私「最近、寒くなってきましたね」
相手「そうですね。寒くなってきましたね」
私「私、もう、エアコンの暖房を入れるようになりましたよ」
相手「えっ、もう暖房を入れているのですか」
私「はい。私、寒がりなものですから。これから本格的な冬がやってきたら、ガスファンヒーターもオイルヒーターも使います」
相手「竹内さん、寒がりなんですね」
私「ええ、私、寒いのが大嫌いなんですよ。冬より、まだ夏のほうがいいかな。冬になると、身も心も縮こまりますから……」（ここで「寒いのが嫌い」という「自分の気持ち」を話している）
私は、冬になると、クライアントがご来室されたとき、いつもこんなことをちょっとおどけた調子で言います。

私「今日は、〇〇さんのために、朝7時に来て、部屋を暖めておきました」

相手「ありがとうございます。おかげさまで、とっても暖かいです。ここ、暖房器具、何使っているのですか？」

私「エアコンとガスファンヒーターとオイルヒーターとホットカーペットです」

相手「えっ、4つも？　すごい」（ここで「すごい」という「自分の気持ち」を話している）

天気や気候の話から、暑い寒いの話になり、暑がりか寒がりか、どの季節が好きか嫌いか、季節のスポーツはやるかやらないかまで話がどんどん膨らんでいきます。

コツは、先ほども言いましたが、聞かれたら、話をひとつ乗せて答える、そして、自分が答えたら、逆にこちらから相手に質問し返すことです。

決して、訊かれたことだけしか答えないような「答えっぱなし」にしない、ということに注意してください。

「自己開示して、そして相手に温かい関心を持って質問する」の繰り返しです。

暑いのは
苦手です

08「趣味はなんですか？」と訊かない

「適度に整理すべし」でご紹介した「道楽＝趣味」ですが、この話をするときに、「○○さん、趣味はなんですか？」と訊かないことが、意外に重要です。

なぜなら、「別に趣味らしいものはないですけど……」と返ってきて、会話が終わる可能性があるからです。

私ならこう訊きます。

「○○さん、最近何か、ハマっていることはありますか？」

すると相手は、ゆっくり答えてくれます。

相手「ハマっていることですか？　やっぱり買い物かなぁ」

私「買い物ですか？　いいですね。どこへ行くことが多いですか？」

と、どんどん訊いていきます。

すると相手は気持ちよく話してくれます。

そして、気持ちよく話した相手は、今度は「そういう竹内さんは、最近、何にハマっているのですか？」と、こちらに問い返してくれます。

その流れで、自分の話をすればいいのです。

私「私は、月1回の頻度で山登りに行っています」

相手「山ですか。いいですね。山は、どのあたりに行っているのですか？」

私「私の場合、御在所岳《ございしょだけ》が多いですね。あの山は、登るルートがいくつもあるから、何回登っても飽きませんよ。御在所岳は、ロープウェイでも登れる山なんですけど、頂上に到着すると、きれいなレストランがあるんですよ。私、自然が好きと言っているくせに、トイレは水洗であってほしいんです」（ここで「何回登っても飽きません」「自然が好き」「トイレは水洗であってほしい」という「自分の気持ち」を話している）

同じ趣味を持っていると、話が盛り上がり、「じゃあ、今度一緒に行きましょうか？」と意気投合することもありますし、違う趣味でも、互いに違う世界をのぞいたような気分になり、楽しくなります。

ここで大切なのは、自分の趣味を押しつけないことです。

相手が「私もやってみたいです」と言ったのなら、「今度一緒に行きましょうか？」と言っても問題ありませんが、相手が何も言ってないのに「○○さんも山登りすればいいのに。運動になって健康にいいですよ」などと言わないようにしてください。

あなただって、興味がないことを押しつけられたらいやな気持ちになるように、相手だって同じなのです。

時おり、「山登りなんて、どこが楽しいんですか？」と言う人がいます。

それが、楽しい冗談になるのならいいのですが、真剣に言われると気分が萎えます。

人は人、自分は自分。

互いに趣味が違ったって全然かまわないし、それでわざわざ険悪な雰囲気を作る必要なんかありません。

相手があなたの好きなものに興味を示さなかったからといって、あなたが悪いわけでも相手が悪いわけでもありませんし、あなたが悪趣味だというわけではありません。

あるとき、知人が、こんなことを言いました。

相手「お恥ずかしい話なんですが、僕の趣味はフィギュア集めなんですよ」

と。

私「えっ、フィギュア？　フィギュアってなんですか？」
相手「僕の場合は、主に美少女フィギュア集めです」
私「そうなんですか。何体くらいあるのですか？」
相手「何体くらいあるかなあ。数えたことないですけど。いっぱいあります」
私「へぇー、すごいですね」（ここで「すごい」という「自分の気持ち」を話している）
相手「竹内さん、軽蔑します？」
私「軽蔑？　しないですよ、全然。いい趣味じゃないですか」
相手「よかったぁ。この話をすると、みんなに馬鹿にされていやなんですよ」（ここで「みんなに馬鹿にされていや」という「自分の気持ち」を話している）

人が何に興味を持ち、何が好きか、それは本人の気持ちの自由です。

したがって、人の興味のあることや、人の気持ちをけなさないでください。

同時に、自分の興味のあることや、自分の気持ちをけなされたら、それを上手に聞き流すようにしてください。

09 最近の出来事を話す

私はカウンセリングで、なるべく明るいニュースを話題にするように心掛けています。

私「将棋の藤井聡太さん、ついに八冠を達成しましたね」

相手「ああ、藤井聡太さんね。すごいですよね。そう言えば、竹内先生って将棋をやるんですよね」（ここで「すごい」という「自分の気持ち」を話している）

私「ええ、やります。でも全然うまくならないので、最近は、もっぱら観戦やイベント参加がメインの『観る将』になってしまいました」

相手「へぇー。そうなんですね。やっぱり八冠って、すごいのですか？」

私「ええ、すごいです。プロ棋士になったとしても、一生タイトルとは無縁の人がほとんどですからね。だからひとつだけでもすごいことです。それを8つも、しかも同時にだなんて、すごすぎます」（ここで「すごい」「8つも、しかも同時にだなんて、すごすぎます」という「自分の気持ち」を話している）

相手「そうなんだぁ」

自分ばかり話すのではなく、次のように、ここで相手にバトンを渡します。

「○○さんは、最近、感動したニュースってありますか？」

ニュースの話からでも、お互いを理解し合うことができます。

大切なのは、相手を受容して、相手を承認すること。

さらに、自己開示をすることです。

そうすることによって、より親密になることができます。

心掛けとして、相手を決して馬鹿にしないことが大切です。

「えっ、○○さん、こんなことも知らないの？」などという態度は、厳に慎みましょう。

10 ふだんの生活をちょっとずつ打ち明ける

私は、クライアントに、「竹内先生って、どこに住んでいるのですか?」とよく訊かれ、次のように答えます。

私「○○です。カウンセリングルームまで、毎日電車で通勤しています」
相手「へぇー、そうなんですね。持ち家ですか? 賃貸ですか?」
私「はい、賃貸マンションです」
相手「そうなんですね。何階なんですか?」
私「○階建てマンションの○階に住んでるんですよ」
相手「それはすごい。やっぱり景色がいいですか?」(ここで「すごい」という「自分の気持ち」を話している)
私「うーん、引っ越したばかりの頃は夜景に感動しましたけど、すぐに見慣れちゃって、今はなんとも思わないです。〇〇さんのように、一軒家のほうがいいですよ。マンションだと、外出するとき、いちいちエレベーターに乗らなきゃいけないでしょう。だからどうしても、外に出るのが億劫になってしまうんですよ」（ここで「今はなんとも思わない」「外に出るのが億劫になってしまう」という「自分の気持ち」を話している）

相手「そっかぁ、そんなもんですか」

私「それにペットも飼えないし。〇〇さん、何か飼ってますか？」

相手「ええ、うちはネコが3匹」

私「えっ、3匹もいるんですか？」

相手「はい、そうなんです。ネコは癒されますね」（ここで「ネコは癒されますね」という「自分の気持ち」を話している）

こうやって、家の話からペットの話になることもあります。

「どこに住んでいるの？」「どんな家に住んでいるの？」「間取りはどのくらい？」「誰と住んでいるの？」などなど、会話を広げるきっかけはたくさんあります。

話していくうちに、相手の生活ぶりや本音がわかって、興味深いです。

あまり相手の生活をのぞき込むような姿勢で訊かないということと、自分の情報も出していくということは注意してください。

ちなみに私は、一番熱心にカウンセリングを学んでいた頃、カウンセリングを教えてくれているある先生から、こんなことを言われました。

「カウンセラーは、自己開示してはいけない」と。

なぜなら、「カウンセラーが自己開示すると、そのあとクライアントが話しにくくなるから」とのことでした。

私は、プロのカウンセラーになった当時から、クライアントだけ本音を裸にして、自分だけ服を着続けるという態度がいやでした。

したがって、クライアントには積極的に自己開示してもらい、私もクライアントの話の邪魔にならない程度には自己開示していこうと思っています。

1人の人間として自己開示し、そのうえで、カウンセラーとして、クライアントの質問の意図を訊くように努めているということです。

あなたも、相手の気持ちを訊いたら、ご自分の気持ちも話すようにしてください。

そのほうが、互いに仲良くなれてハッピーです。

毎日
一緒にいて
楽しいです

11 出身地について話す

私はカウンセリングルームで、次のようなことをよく訊きます。

私「○○さんって、もともとはどこの出身？」
相手「熊本で生まれて熊本で育って、大学で福岡へ出て、就職で愛知県に来ました」
私「えっ、○○さんって、熊本の人なんだぁ」
相手「そうなんですよ。竹内先生は、ずっと愛知県ですか？」
私「ええ、名古屋で産まれて名古屋で育ちました。ほとんど名古屋から出たことがないんです」
相手「そうなんですか」
私「でも熊本っていいところですよね」
相手「何もないですけどね」

私「何をおっしゃいます。熊本城と水前寺公園があるじゃないですか。私は、荘厳な、迫力ある熊本城が大好きですよ。熊本城のあの石垣がいいですね。水前寺公園も素敵ですよね。きれいで気持ちがいい公園ですよね」（ここで「熊本城が大好き」「石垣がいい」「水前寺公園も素敵」「きれいで気持ちがいい」という「自分の気持ち」を話している）

どのクライアントも、ご自分の出身地を褒められると、一様に笑顔を見せます。

相手「竹内先生は、熊本にいらしたことはあるのですか？」

私「はい、2回行ったことがあります」

相手「へぇー、2回も？」

私「はい、熊本城の重厚さに感動しましたし、水前寺公園の美しさにも感動しました」（ここで「感動しました」という「自分の気持ち」を話している）

相手「そうなんですね、どうもありがとうございます」

私「○○さんは、ずっと愛知県にいるのですか？　将来は地元に帰るとか、ご計画があるのですか？」

相手「うーん、まだ先のことだからわからないですね。ずっと愛知県に居続けるかもしれないし、両親が『帰ってこい』と言ったら、帰るかもしれないし……」
私「そうですか。まだまだ先のことだから、よくわからないのですね。私はずっと愛知県で生まれ育ちました。だから、〇〇さんのように、故郷がある人が、なんだか少し羨ましいです」（ここで「なんだか少し羨ましい」という「自分の気持ち」を話している）

という感じで、どんどん話が続いていき、どんな子どもだったかを語ってくれるクライアントも少なくありません。

カウンセリングするうえで、クライアントから「どのような両親からどのように育てられ、どのような子ども時代を過ごしたか」を聴くのは、非常に重要です。

なぜならそこに、現在抱えている悩みのルーツが隠されている可能性があるからです。

「両親が不仲で、家庭の中にいつもピリピリした雰囲気があった」とおっしゃる人は、自分を自由に表現した経験が圧倒的に少なく、やはり自己開示が苦手であることが多いです。

私は、「〇〇さんは、子どもの頃、どんな子でしたか？」と直球で訊くことはあまりありません。

クライアントに警戒され、「どういうって、普通でしたけど……」と当たり障りのない回答をされかねないからです。

したがって、私は、出身地の話から始めています。

カウンセラーの中には、唐突に、「○○さんは子どもの頃、ご自分の家庭内に不和はありましたか？」「○○さんは、ご両親や祖父母から、人格を否定されるようなことを言われた記憶はありますか？」と訊く人もいるのですが、相手に心の準備がないと、そのような発言はクライアントの心を傷つけかねませんし、そのような言い方では、クライアントが心を閉ざすばかりとなります。

これは、カウンセリングの現場に限った話ではなく、ふだんの会話でも当てはまるかもしれませんね。

ちなみに私は、ゆっくりとクライアントの心の奥深くに入り込むよう、いつも心掛けています。

その際、次のように、自分の故郷である愛知県や名古屋市の話をすることもあります。

私「〇〇さんは、愛知県に来て何年ですか？　主要な観光地とか行きましたか？」

相手「ええ、まだ2年です。名古屋城とか熱田神宮くらいは行ったんですけど、あとはあんまり行ってないかなあ。基本、私はインドア派ですから」

私「へぇー、〇〇さんは、インドア派なんだ。今度、東山動植物園とか名古屋湊水族館とか、行ってみるといいですよ。結構楽しいですよ」（ここで「結構楽しい」という「自分の気持ち」を話している）

相手「そうなんですね」

私のクライアントの多くは、私のカウンセリングルームを退室されるとき、「あー、楽しかった」とおっしゃいます。

これは、私のカウンセリングルームの大きな特徴だと思います。

温泉
りんご
なまはげ
青森県
おすし

12 行ってみたい場所の話をする

旅行の話は誰と話しても盛り上がりますが、大切なのは、自分ばかり話し続けないで、常に、相手にバトンを渡す機会を窺いながら、自分の気持ちを伝えることです。

私「○○さんも、旅行に行かれたりするのですか？」

相手「はい、よく行きます」

私「へぇー、私と同じ、旅行好きなんですね。一番北は、どこまで行きました？」

相手「国内だったら、北海道ですかね。北海道の旭川が、一番北かなあ」

私「国内だったらということは、○○さん、海外だったら、もっと北に行ったことがあるのですか？」

相手「ええ、フィンランドのほうにちょっと」

私「フィンランド？　フィンランドって、あの北欧の？　どうでした？」

相手「はい、白夜を体験しました」

私「へー、それはすごいですね。私もフィンランドに行ってみたいな。そうしたら、私の大好きなムーミンに会えるかもしれない」（ここで「すごい」「フィンランドに行ってみたい」「大好きなムーミンに会えるかもしれない」という「自分の気持ち」を話している）

互いに行った場所を話していくうちに、行ってみたい場所の話になり、やがては、「今度どこか一緒に行きましょうか？」という話になることもあります。

ただ、あなたが話を聴いているのが楽しいのであれば問題はないのですが、「退屈だな」「自分の話も聴いてほしい」と思っているのにもかかわらず、相手が延々と話し続けるようなら、その相手との付き合いは、ちょっと考えたほうがいいでしょう。

語り合える人とは、キャッチボールで言えば、気持ちを投げたり受け取ったりできるものです。

ずっとボールを握り続けていたり、受け取ることをせず投げてばかりの人は、相手が誰でもかまわないと思っている「テイカー」（奪う人）です。

そのような人とは、もめごとにならないよう、ちょっとずつ距離を置いていくことをおすすめしたいと思います。

13 推しについて語る

私は、クライアントに、よく次の質問をします。

「〇〇さんって、好きな芸能人っていますか？　好きな有名人でもいいですよ」

さらに、「初めて行ったライブは誰のライブですか？」と訊くこともあります。

お互い、好きな有名人が一緒だと嬉しいですね。

私の友人でミスチルが好きという人がいるのですが、彼は、1人でもコンサートに行くくらい大ファンで、時には東京や大阪にまで足を運びます。

ふだんは大人しい性格の持ち主としか言いようがない彼なのですが、コンサートに行くとノリノリになるそうです。

その彼は、東京で開催されたコンサート会場で、同じく1人で並んでいる男性と、同じTシャツを着ていることがきっかけで会話を弾ませ、連絡先の交換までして、遠い千葉と愛知で、ミスチル談義をするくらいの友達になりました。

彼にとって、千葉にいる友達は、遠方にいてもいつも心がつながっている真の友なのだと思います。

心のつながりに、物理的距離は関係ありませんからね。

私は、小学生から年配の方までカウンセリングすることがあるのですが、比較的無口な人でも、推しの話になると、みなさん目をキラキラ輝かせて、饒舌になるものです。

繰り返しますが、誰が好きかは人それぞれなので、相手の好みを否定しないでくださいね。

14 嬉しいことをシェアする

嬉しいことがあったら、素直にそれを表現して、一緒に喜び合いましょう。

悲しいことがあったら、素直にそれを表現して、一緒に悲しみ合いましょう。

すると、喜びは倍に、悲しみは半分になるはずです。

そんなふうに、気持ちをシェアしていきましょう。

私は、60歳を過ぎてから、国家資格である公認心理師の勉強をしはじめ、翌年、無事に合格したのですが、そのとき私の合格を一緒に喜んでくれた家族や友人の笑顔や、祝福の声は、いまだに忘れることができません。

一生懸命に勉強して、本当によかったと思いました。

あなたも目標に向かって勉強していることがあったら、誰か身近にいる人に打ち明けてみてください。

そして、実際に目標を達成するようにしてください。

そうすれば、喜びが倍増することは間違いありません。

そして、今度は逆に、あなたの身近にいる人が、何か資格取得のために勉強していると聞いたら、力の限り応援するよう心掛けてください。

相手はあなたの言動に、ずっと感謝の気持ちを持ち続けることでしょう。

応援というものは、されても嬉しいし、しても嬉しいものです。

もし、あなたが資格取得に失敗しても、多くの人が慰めて、同情の声を寄せてくれると思いますが、それは比較的、誰にでもできることです。

本当の友人というものは、あなたが夢や目標を達成したときにこそ、力をくれます。

あなたの成功を見て、嫉妬したり、「大したことない」「あんなの誰でも受かる」と言うような人とは、今後付き合いを変えていったほうがいいでしょう。

身近にいる人が、あなたの幸せを自分のことのように喜んでくれたら、本当に素敵ですね。

15 仕事のことを話す

私は、人の仕事の話を聴くのが大好きです。

「どうして、今の仕事をやろうと思ったのか？」

「どんなときに仕事の喜びを感じるのか？」

「今の仕事に苦悩を感じるときはどんなときか？」

などと掘り下げていったときに、その人の「気持ち」がわかるからです。

例えば、こんなふうに掘り下げることができます。

私「えっ、○○さん、学校の先生なのですか？」
相手「ええ、そうなんです。小学校の教員をやっています」
私「へぇー。小学校の先生ですか。学校の先生って大変ですよね。児童に授業するだけでなく、ほかにこまごまとした、たくさんの仕事がありますものね」

相手「そうなんです。仕事がたくさんあるのはまだいいんですけれど、人間関係が、対児童、対保護者、対教職員と多岐に渡るんですよ」

私「そうなんですね。それは大変ですね」

相手「でも、私、子どもが好きだから、子どもの笑顔に癒され、いつも子どもから元気をもらっているのです」（ここで「子どもが好き」「子どもの笑顔に癒され」「元気をもらっている」と「自分の気持ち」を話している）

私「それは素敵ですね。なんで学校の先生になろうと思ったのですか？」

相手「私、小学校のとき、優しくて頼もしい、本当にいい先生に担任をしてもらって……。それで将来は、学校の先生になれたらいいなって思っていたんです」

私「そうなんですね。じゃあ、○○さんは、夢を叶えたんですね」

私は、仕事のやりがいを聞かれたら、「クライアントの変化に立ち会えること。クライアントが失っていた笑顔を取り戻す瞬間を見られること」と答えています。

あなたも、自分の仕事について話せるように意識してみてはいかがでしょうか。

COLUMN

無理せず「自分の気持ち」を出していく
～「生まれつき性格」について③～

「生まれつき性格」というものは、先述したように、怖がりか怖がりじゃないか、人から注目を浴びるのが好きか嫌いかなどで判断できますが、これは生まれてから死ぬまで、ずっと変わりません。

その中でも、生まれつき、心を開くことに対し、「抵抗がある人」と「抵抗があまりない人」がいらっしゃいます。

あなたはどちらですか？

「心を開くこと」に抵抗があるタイプならば、「心を開いて、『愛と所属の欲求』を満たすことは大切だけれど、無理をしないということも同じくらい大切だ」と知っておいてください。

コツは、まだ関係の浅い人に、自分の学歴や年収、家族構成や深い悩みなどといった個人的なことを無理して話すのではなく、「誰に聞かれても大丈夫」ということから話しはじめることです。

本文にもあるように、お天気の話から入るのが無難です。

「今朝は、一段と冷え込みましたね」

「今日は、朝から暑いですね」

などと。

もう少し自分の気持ちを交えるのであれば、

「私、昨日、○○駅近くにオープンしたイタリアンレストランに行ったんです。とっても混んでたけど、そんなに待たされることなく入れて、結構安くておいしかったですよ」（ここで「おいしかった」という「自分の気持ち」を話している）

「今年のお正月は、ずっとゴロゴロして食べてばかりいたから、ちょっと太ったかもしれない。だから、ここ最近は、怖くて体重計に乗れないんですよね」（ここで「怖くて体重計に乗れない」という「自分の気持ち」を話している）

などの話題もいいかもしれませんね。

いきなり深い話をしてしまうと、あとから「しまった、言うんじゃなかった」などと悔いたり、相手にドン引きされたりしてしまいかねないので、注意が必要です。

「今、自分の話すことが、顔写真と名前入りで、世間に公表されても大丈夫」と思えるような、他愛もない軽い話から始めてください。

そして相手が、自分の話を快く受け取ってくれて、自分の情報を言い触らしたりしない人であることを確認しながら、徐々に自分の気持ちを出していき、深い話をしていきましょう。

第6章

「自分の気持ち」で和やかな関係を作る

～こうして、
「かけがえのない関係」を築いていく～

01

ちょっとずつ「当たり障りのない話」から抜け出そう

最初のうちは、当たり障りのない話をすることも大切ですが、できれば少しずつ、深い話をしていきたいものです。

深い話とは、つまり価値観にかかわる話です。

例えば、「大人になるということは、家族を持つことだと思う。結婚して子どもを授かって、子育てをすることが幸せというものだ」、または「大人になるということは、1人の人間として、仕事を通じて社会とかかわることだと思う」といったことです。

あなたは、どんな価値観を持っていますか？

何が好きで何が嫌いで、何をしていると充実感を覚えるのかを考えてみるといいでしょう。

自分の価値観を知るために、今までどんなことに多くの時間やお金、労力を割いてきたのかを振り返ってみてください。

価値観が同じ人だったら楽しいですし、価値観がまるっきり違う人だったとしても、それを互いに尊重できれば、幸せなことだと思います。

私はよく、年末になると、カウンセリングルームで、

「今年1年、振り返っていかがですか？　何か印象的なことはありましたか？　やり残したことはありますか？」

「来年の目標はありますか？　やってみたいことはありますか？」

と訊きます。

そうすれば、クライアントが、どんなことを大切にしているかという、クライアントの価値観に触れることができるからです。

あなたも、「当たり障りのない話」から抜け出してみませんか？

そうすれば、相手の価値観を知ることもできますし、相手からより深く理解されるようになります。

当たり障りのない話から抜け出したあなたは、きっと世界が広がった感覚を覚えるでしょう。

02

信頼関係を築くために避けたほうがいい5つのこと

次に、いい関係を築くうえで避けたほうがいい5つのことについてお伝えします。

避けたいこと1　仏頂面をする

会話する際は、仏頂面せず、できる限り笑顔を浮かべてください。

前述したように、笑顔というものは、練習次第で上手にできるようになります。

避けたいこと2　リアクションしない

相手が話しはじめたら、前のめりになったり、笑ったり、驚いたり、感心したりしながら話を聴いていってください。

そして、こちらが話すときは、自然なしぐさで、身振り手振りを交えましょう。

避けたいこと3　ダメ出しをする

相手の言動や服装、持ち物についてダメ出ししないことです。

相手の言っていることに矛盾があったとしても、それを指摘してはいけません。

避けたいこと4　馴れ馴れしくしすぎない

いきなり親しげに話すことはマイナスになります。

空間距離も詰めすぎないように注意してください。

相手が半歩下がったら、距離が近すぎるという合図です。

どうぞそれに、気づけるようになってください。

避けたいこと5　自慢話をしない

自慢話は、基本的にしないことです。

昔、私は、あるビジネス交流会に行って、初めて会った人から、「僕は有名な○○さんに会ったことがある。僕は○○さんと知り合いだ」などと、立て続けに自慢話をされ、心の中で「それがどうしたの!?」と思いました。

01 間が空いたら相手が話すのを待つ

「コミュニケーション能力に自信がない」

「心を開くことが苦手」

「人見知りが激しい」

とおっしゃるクライアントから、よく次のような話を聞きます。

「沈黙になると、気まずい気持ちになって、何かしゃべらなくちゃと焦る」

「相手が黙ると、自分が何か、相手の気に障るようなことを言ったのではないかと、不安になる」

などと。

自分も相手も黙るから沈黙になるのであって、沈黙は決してあなた1人のせいではありません。

まずは、そのことを押さえておきましょう。

どんなに少なく見積もっても、沈黙の半分は相手の責任です。

だからあなた1人で焦らなくても大丈夫です。

私は若いカウンセラーから、「カウンセリング中に沈黙になったら、どうしたらいいですか？」とよく相談を受けます。

私は次のように答えます。

「まずは、ゆったりとした気持ちで、沈黙を味わいましょう」と。

そのうえで、「相手が話し出すのを待つか、それとも自分が話すか」を決めればいいのです。

目の前の相手は、今発したばかりの自分の言葉を心の中で反芻しているのかもしれないし、話し疲れて一休みしたいのかもしれません。

それに、ただ単に考えごとをしはじめた、ということもあるでしょう。

沈黙の半分は相手の責任ですので、ネガティブに捉える必要はありません。

02 「4対6」を心掛ける

「自分のことを話せない」とおっしゃるあなたは、ふだん、聞き役になっているケースが多いのではないでしょうか？

それであなた自身が「とても楽しい」と思っているのなら問題ありませんが、本当は、もっと自分のことを伝えて、もっと深い話をしたいのではないでしょうか？

そして、もっと自分のことを理解してもらいたいのではないでしょうか？

ふだんのあなたは、多くの場合、自分が話す量と相手が話す量が、1対9から2対8くらいになっていると思います。

それを、3対7から4対6くらいにすることを目標にしてみてください。

「自分が話して相手が聴いて」

「相手が話して自分が聴いて」

この繰り返しを、キャッチボールをするように、スムーズにできるように意識し

てください。

あなたが5対5を通り越して、6も7も8も話すようになったら、それは話しすぎです。

楽しく会話が続くと、互いにつながり感を覚え、あなたと相手の脳から、幸せホルモンであるオキシトシンが放出されます。

それは、とても幸せで素敵な瞬間です。

03「小さな失敗」を打ち明ける

先日、私は、カウンセリングルームで、クライアントにこんな失敗話をしました。

「読書に夢中になって電車が来たことに気がつかなくなってしまうので、私はいつも駅のベンチではなく、ホームに立ったまま、本を読むようにしているんですよ。数年前のことなんですけど、読書に夢中になりすぎて、電車が到着したことに、まったく気がつきませんでした。ふと顔を上げると、なんと電車の扉が閉まるまさにその瞬間！　私は乗るはずだった特急電車に乗ることができなくて、せっかく特急指定席券を買ったのに、無駄にしてしまったんです。なんとかほかの電車に乗り、事なきを得たのですが、結構落ち込んでしまったんですよね……。今となっては、いい笑い話ですよ」

すると、「心理カウンセラーの竹内先生」と身構えていたクライアントも、気持ちがほぐれ、「なんだ、竹内先生だって、そんな失敗をするんだ」と、私に気を許してくれるようになります。

さらに、次のような話もします。

明日の仕事が朝早いというのに、夜に読みはじめたミステリー小説が面白くて、読むのをやめられなくなり、明け方まで読んでしまったこと。

また、自分のホームページ作りに夢中になって、水分も取らずトイレにも行かず、気づけば5時間も6時間もパソコンを触り続けていたこと。

すると、クライアントとの心の距離がぐっと近づきます。

あなたも「自分の小さな失敗」を、こっそり打ち明けてみませんか？

相手は、きっと、そんなあなたに親近感を抱くことでしょう。

04 聴いてほしいことを自然に切り出す

ちょっと聴いてほしいなということがある場合、切り出すにはコツがあります。

それは、「『○○さん（相手）の話を聞いて思い出したんですけど……』と言って、自分の言いたいこと言う」ということです。

例えば、次のように。

私「12月になりましたね」

相手「ええ、そうですね。1年って早いものですね」

私「○○さんって、紅白歌合戦は観ますか？」

相手「ええ、観ます」

私「そうですか。○○さんは、誰に注目していますか？」

相手「私は、△△さんかなあ」

私「なるほど、△△さんですか。私、○○さんの話を聞いて思い出したんですけど、△△さんって、昔、こんな映画に出ていましたね」

相手「ああ、出てましたね」

私「私、あの映画のラストシーンが大好きなんですよ」（ここで「あの映画のラストシーンが大好き」という「自分の気持ち」を話している）

相手「へぇー、そうなんですね」

ぜひ、「○○さん（相手）の話を聞いて思い出したんですけど……」を自分のものにしてください。

親しくなった人には、「ねえねえ、聞いて聞いて」でもいいですし、「ちょっと聞いてくれる？　これは自慢話なんだけど……」と言って話を変えてもいいでしょう。

コツは、あえて「自慢話なんだけど……」と言ってしまうことです。

基本的に自慢話は避けるべきですが、そう言ってしまえば、相手は「しかたないなあ」とばかりに笑顔を浮かべ、あなたの話を聞いてくれることでしょう。

05 ちょっとずつ馴れ馴れしくなる

私は、誰に対しても、基本的に敬語です。

年下だろうが後輩だろうが関係ありません。

サラリーマン時代も、部下や後輩を「さん」づけで呼んでいました。

でも、相手と距離を詰めて、もっと親しくなりたかったら、徐々に敬語をやめていくという手はあると思います。

コツは、「○○ですか?」と敬語で尋ね、相手がまた敬語で答えたら、今度は「そうなんだ」と相槌を打つという感じです。

そうやって、少しずつ、互いに馴れ馴れしくなっていけばいいのではないでしょうか。

私は会社員時代、同い年で入社が1年早い先輩から、「竹内さん、もう互いに敬語

を使うのをやめましょうよ」と提案されたことがあります。

でも、そのようなことはごくまれだと思いますので、話しても話しても距離が縮まらず、「つながり感」を覚えない場合は、敬語のまま、心理的な距離を保っておいていいと思います。

その場合は、必要以上に親しくせず、適度な距離、つまり丁寧な挨拶程度の付き合いにしておくということが大事です。

COLUMN

爽やかに自己主張する
～アサーティブコミュニケーションについて～

あなたは、自分の言いたいことを言えていますか？

相手を害することなく、自分の気持ちを伝えることができていますか？

相手がなんの連絡もなく約束の時間に遅れてきたとき、不機嫌になって黙り込んではないでしょうか？

へらへら笑って許し、何ごともなかったかのようにやり過ごしてはないでしょうか？

反対に、相手に怒りをぶつけて、ついつい言いすぎてしまうようなことはないでしょうか？

爽やかに、笑顔で、「私、あなたを待っていたんだよ。これからは、ちゃんと時間を守ってくれる？」と言えているでしょうか？

自分の気持ちを押し込める、あるいは感情的になって爆発させていたら、大切な人といい関係を育むことができません。

「アサーティブコミュニケーション」という会話の手法があります。

これをあえて日本語に訳すとしたら、「爽やかな自己主張」という意味になりますが、これは、爽やかに自己主張して、相手の気分を害することなく、自分の望んだ状態を引き寄せるという人間関係の技術です。

もう10数年も前の話ですが、私が友達４人と居酒屋へ行ったときのことです。席について、生ビールと野菜のサラダを注文したのですが、そこで届いた野菜のサラダが、信じられないくらいひどいものでした。

しなびて変色したキャベツやレタスやトマトが、お皿に乗っていたのです。

それを見て、私の友達の１人が、すっと手を挙げ、「すみません」と言って店員さんに声をかけました。

友人「すみません。この野菜のサラダ、悪くなっていないですか？　これでは、とても食べる気にはなれません」
店員「ああ、すみません」
友人「大変申し訳ないのですが、新しいものに交換してもらえませんか？」
店員「はい、わかりました」
すると数分後、店員がきれいな野菜のサラダを持って来て、こう言いました。
「先ほどは、大変申し訳ございませんでした。このサラダのお代は、結構です。サービスさせていただきます」
私は、友人と店員さんのやり取りを見て、「見事だなあ」と非常に感心しました。

これは、アサーティブコミュニケーションのＤＥＳＣ法というものです。
ＤＥＳＣ法とは、次のようなことを指します。

D　Describe（描写）「この野菜のサラダ、悪くなっていないですか？」

E　Express（表現）「これでは、とても食べる気にはなれません」

S　Suggest（提案）「新しいものに交換してもらえませんか？」

C　Choose（選択）　黙って、店員さんの出方・応答を待つ。

いかがでしょうか。

あなたも、誰かに対して要望したいことがあったら、このDESC法を使ってみてください。

コツは、

事実を描写して、

↓

自分の気持ちを表現して、

↓

「〇〇してくれませんか？」と提案し、

↓

相手の答え（選択）を待つ

ということです。

その際、「自分はどんな結果を望んでいるのか」を事前に心の中で知っておくことが大切です。

私の友人は、「店員に文句が言いたいのではなく、ただ新鮮な野菜のサラダが食べたいんだ」という自分の欲求に気づいていたのですね。

だからこそ、声を荒げることなく、優しく丁寧に、店員さんに要望を言うことができたのでしょう。

あなたも、私の友人のように、爽やかに自己主張できれば、今よりきっと、人から大切にされ、心地いい環境に身を置くことができると思いますよ。

「つながり感」を持てば、すべての悩みはなくなっていく

おわりに

ここまで読んでいかがでしたか？

あなたが自分の気持ちに気づき、上手に自分の気持ちを出せるようになることを、私は切に願っています。

私は、この本で、数多くの「上手に『自分の気持ち』を出す方法」を伝えてまいりました。

ぜひ、思い出したときでいいので、ひとつでもふたつでもワークに取り組んでみてください。

あなたの「わかってくれない」「満たされない」という思いや、「私って、1人ぼっちなんだ」という思いが少なくなり、自分の気持ちや自分の本音が素直に出せるようになれば、あなたはきっと毎日を、安心して気持よく過ごせることになるでしょう。

あなたが自分のことを話せるようになれば、「何を考えているかわからない人」から脱することができ、あなたの周囲に人が集まってくることでしょう。


アルフレッド・アドラーという精神科医・心理学者がいます。

アドラーは、フロイト、ユングと並んで、心理学の三大巨匠と呼ばれる1人で、現代のパーソナリティ理論や心理療法を確立しました。

アドラーは、こう説いています。

「人間は、対人関係の中でしか幸福を実感することができない」

「すべての悩みは対人関係の悩みである」

と。


私は、あなたが自分の心を開いて、言いたいことを素直に言うことができて、温かくて素晴らしい人間関係を構築すること、そして「つながり」を感じ、ほのぼのとした幸せを感じられるようになることを、心から祈っています。

何より人は、自分が心を開いて、話して、聴いてもらって、自分のことを理解されれば、喜びや幸せを感じる生きものなのです。

どうぞ、ご自分のペースで、人と仲良くなり、つながり感を持ち続けていってください。

あなたが、１人でも多くの人とつながっていけば、この世界は、争いがない、平和で穏やかな調和した世界となっていくことでしょう。

何気なくでも、気が向いたときでも、あなたが、この本の好きなページをまた開いてくれたなら、私はとても嬉しく思います。

同時に、この本を読んでくださっているとき、私とあなたは間違いなく、心の奥深いところでつながっています。

と、ここまでお話ししてきて、私はなんだか、あなたとお別れするのが寂しい気持ちになっています。

いつの日か、カウンセリングルームや、講演・セミナー会場で、またオンラインで、あなたにお会いできることを、私は心から楽しみにしています。

最後までお読みいただき、本当にどうもありがとうございます。

心から感謝し、これにて筆（パソコンのキーボードではありますが）を置きたいと思います。

竹内成彦

読者のみなさまへお知らせ

著者：竹内成彦の活動をご紹介します!

ホームページ「カウンセリングルーム『心の相談室 with』名古屋」

https://www.kokororoom.site
（『心の相談室 with』名古屋」で検索）

もし誰にも打ち明けられない悩みをお持ちなら、ぜひカウンセリングルームにお越しください。あなたの気持ちを、存分にお話しください。

YouTube「【公認心理師】 精神医学と性格心理学に詳しい心理カウンセラー 竹内成彦」にて動画配信中

（YouTube にて「竹内成彦」で検索）

日常の悩みや、生きる上で疑問に思っていることなど、カウンセラーの立場から解説しております。

メールマガジン「生きる極意」

https://www.reservestock.jp/subscribe/52298

ホームページやブログに書けない有益な情報を、いち早くお届けしています。ぜひ、お読みください。

「わかってくれない」「満たされない」がなくなる

上《じょう》手《ず》に「自《じ》分《ぶん》の気《き》持《も》ち」を出《だ》す方《ほう》法《ほう》

2024年2月29日　初版発行

著　者……竹内成彦《たけうちなるひこ》

発行者……塚田太郎

発行所……株式会社大和出版

東京都文京区音羽1-26-11　〒112-0013
電話　営業部03-5978-8121／編集部03-5978-8131
http://www.daiwashuppan.com

印刷所／製本所……日経印刷株式会社

装幀者……山田知子＋chichols

装画者……東口和貴子

ISBN978-4-8047-6426-9